MAL DE DOS

MODUS VIVENDI

IMPORTANT
Ce livre ne vise pas à remplacer les conseils médicaux personnalisés, mais plutôt à les compléter et à aider les patients à mieux comprendre leur problème.

Avant d'entreprendre toute forme de traitement, vous devriez toujours consulter votre médecin.

Il est également important de souligner que la médecine évolue rapidement et que certains des renseignements sur les médicaments et les traitements contenus dans ce livre pourraient rapidement devenir dépassés.

L'édition originale de cet ouvrage est parue chez Family Doctor Publications sous le titre *Understanding Back Pain*

LES PUBLICATIONS MODUS VIVENDI INC.
55, rue Jean-Talon Ouest, 2e étage
Montréal (Québec) H2R 2W8
CANADA

www.groupemodus.com

Éditeur : Marc Alain
Design de la couverture : Gabrielle Lecomte
Infographie : Transmédia
Traduction : Renée Boileau

ISBN : 978-2-89523-823-2

Dépôt légal – Bibliothèque et Archives nationales du Québec, 2014
Dépôt légal – Bibliothèque et archives Canada, 2014

Nous reconnaissons l'aide financière du gouvernement du Canada par l'entremise du Fonds du livre du Canada pour nos activités d'édition.

Gouvernement du Québec — Programme de crédit d'impôt pour l'édition de livres — Gestion SODEC

Imprimé en Chine

Table des matières

L'auteur

Malcolm I.V. Jayson, M.D., FRCP est professeur de rhumatologie et a été directeur du Manchester and Salford Back Pain Centre à l'Université de Manchester. Il a mené des recherches approfondies sur la structure et la fonction de la colonne vertébrale chez les humains, et sur les méthodes de mesure. Il a effectué des essais de traitement de même que des recherches scientifiques sur les mécanismes de développement de la dorsalgie.

Introduction

La dorsalgie est un symptôme

La dorsalgie n'est pas une maladie en soi mais un symptôme. Elle se développe en raison d'un autre problème, qui peut être difficile à déterminer.

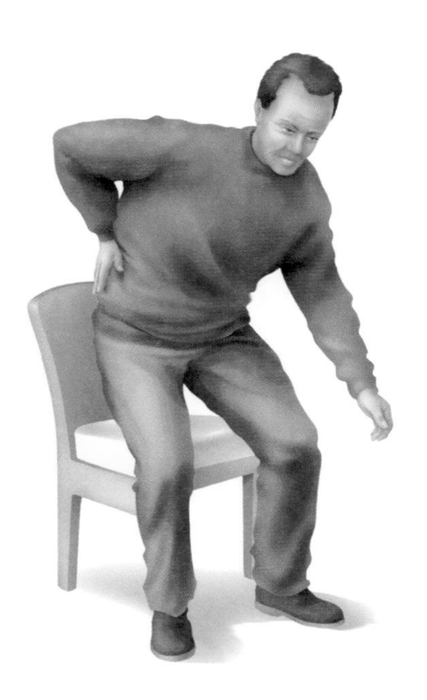

La plupart d'entre nous souffrons de dorsalgie à certains moments. En général, quoique désagréable et peu commode, elle n'est pas liée à un problème extrêmement grave qui viendrait d'une lésion ou d'un stress mécanique au dos, et elle s'estompe assez rapidement. Elle provient en partie de l'usure, de stress excessifs et de mauvaises postures.

Il n'y a pas de quoi s'étonner lorsqu'on en vient à réaliser combien la colonne vertébrale est complexe et constituée de nombreuses structures : les os, les disques, les ligaments, les tendons, les nerfs, les vaisseaux sanguins et d'autres tissus, qui peuvent tous subir des lésions mécaniques et donner lieu à une dorsalgie.

Dans la plupart des cas, l'origine précise du problème importe peu. La dorsalgie est un symptôme qui disparaît spontanément; le but du traitement est de soulager la douleur et de guérir le plus vite possible. À l'occasion, la cause sous-jacente peut être plus grave et il est nécessaire de procéder à des investigations plus approfondies pour déterminer le traitement approprié. Lorsqu'on comprend les mécanismes de fonctionnement de la colonne vertébrale, on peut la protéger de façon plus efficace et guérir plus rapidement des accès de dorsalgie.

Ce livre vise à vous faire comprendre les mécanismes du dos, ce qui peut survenir, les problèmes qui peuvent en découler, comment les traiter et vous indiquer dans quelles situations il est nécessaire de procéder à des investigations plus poussées et de consulter un spécialiste.

Un problème croissant

La dorsalgie est très courante. En tout temps, quelque 30 à 40 % de la population en souffre, et entre 80 et 90 % des gens en souffriront à un moment de leur vie.

Selon les patients

La dorsalgie peut prendre de nombreuses formes, mais en général les plaintes sont les suivantes :

« Je travaille dans une usine d'assemblage de pièces. À la fin de la journée, j'ai terriblement mal au bas du dos et je ne sais vraiment pas si j'arriverai à le supporter beaucoup plus longtemps. »

« Pendant la journée, ça va, mais lorsque je me réveille le matin, j'ai très mal au dos et j'ai des courbatures. Je dois me lever et bouger pour que ça aille mieux. »

« Je me suis penché pour ramasser un livre par terre, j'ai ressenti une vive douleur au bas du dos, et je ne pouvais plus me relever. »

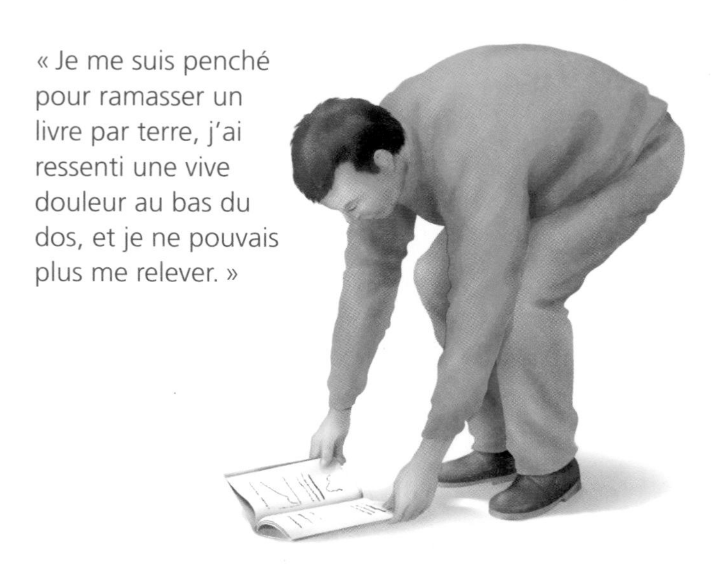

« Pendant que je travaillais dans le jardin, j'ai senti un tiraillement au bas du dos. Au cours des heures qui ont suivi, la douleur s'est propagée vers le bas à l'arrière de mes jambes. Ça m'a fait vraiment mal et j'ai dû aller me coucher. »

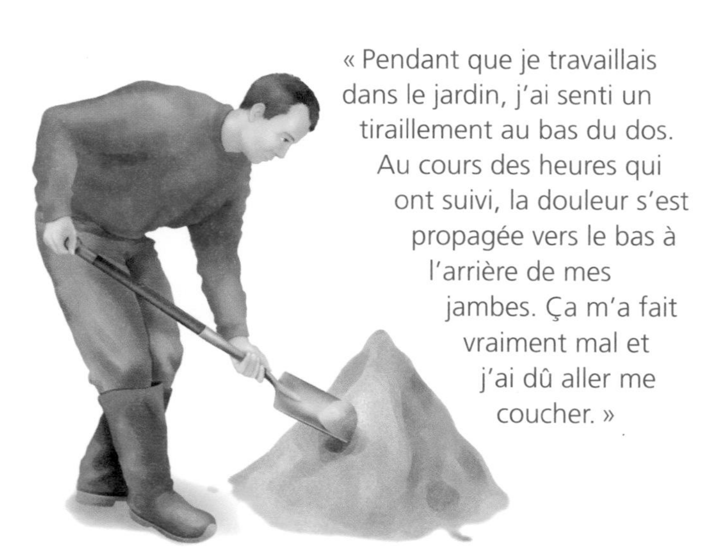

Les hommes et les femmes de tout âge sont touchés, de l'enfance à la vieillesse, bien que la dorsalgie soit plus fréquente à l'âge moyen.

Congé de travail pour raisons de santé

La raison la plus courante est la dorsalgie, surtout dans les industries qui exigent un travail manuel lourd. Les travailleurs de la construction sont les plus à risque, de même que les infirmières, qui doivent souvent adopter des postures inconfortables pour lever des patients lourds.

Il est souvent difficile de différencier la cause de l'effet : autrement dit, est-ce que les stress du travail causent la dorsalgie ou est-ce que la personne est incapable de lever des poids lourds parce qu'elle a mal au dos ? Très souvent, la dorsalgie accompagne une blessure ou une torsion soudaine. De nos jours, on consacre beaucoup de temps à former les travailleurs pour leur apprendre comment éviter de se blesser le dos en le soumettant à des stress excessifs.

L'ampleur du problème

Le temps de travail perdu en raison des problèmes de dos a pris des proportions énormes au cours des dernières années. Par exemple, il s'agit maintenant de quelque 100 millions de jours de travail par année en Angleterre et au pays de Galles, 2 ou 3 fois plus qu'il y a 20 ans. En fait, cette augmentation spectaculaire ne signifie pas que plus de gens se blessent au travail. Elle reflète plutôt la plus grande préoccupation des travailleurs et des employeurs à l'égard des conséquences des dorsalgies. Il en résulte une escalade spectaculaire des coûts pour la société. Ils sont maintenant évalués à plus de 12 milliards de dollars canadiens par année pour les traitements médicaux, les prestations versées et la perte de production – une somme phénoménale !

L'augmentation du nombre de personnes handicapées par des problèmes de dorsalgie nous a menés à repenser entièrement notre approche de la dorsalgie et la façon de la traiter. Dans ce livre, je présente les points de vue les plus récents selon les dernières études sur le traitement de la dorsalgie et j'explique de quelle façon nous essayons de réduire la fréquence et la gravité de ce problème.

POINTS CLÉS

- La dorsalgie n'est pas une maladie, mais un symptôme.
- Quoique désagréables, les accès aigus de dorsalgie s'atténuent en général rapidement.
- La dorsalgie touche 80 à 90 % de la population à un moment de la vie.

Le fonctionnement de la colonne vertébrale

La colonne vertébrale

Le rôle de la colonne vertébrale est de supporter l'organisme, de plier et de se tourner dans toutes les directions et en même temps, de protéger les structures vitales comme les nerfs qui la traversent, et ce, tout au long de la vie. Aucun ouvrage d'ingénieur n'est en mesure de répondre à de telles spécifications. Ainsi, il n'est guère surprenant que des problèmes surviennent de temps à autre.

Les vertèbres

La colonne vertébrale est constituée de blocs osseux qui portent le nom de vertèbres et qui sont assis l'un sur l'autre et assemblés par des ligaments robustes.

Elle comprend 7 vertèbres cervicales dans le cou, 12 vertèbres dorsales ou thoraciques dans le haut et au milieu du dos, et 5 vertèbres lombaires dans sa région inférieure. La cinquième vertèbre lombaire, qui porte le nom L5, repose sur le sacrum, lié au coccyx. Le sacrum comprend sept vertèbres soudées et s'articule avec le bassin, l'anneau d'os qui supporte le tronc et qui à son tour est supporté par les hanches.

Flexibilité de la colonne vertébrale

La colonne est un ouvrage d'ingénieur vraiment étonnant ! Elle permet un vaste ensemble de mouvements tout en supportant l'organisme et ses structures vitales, comme les nerfs qui le traversent.

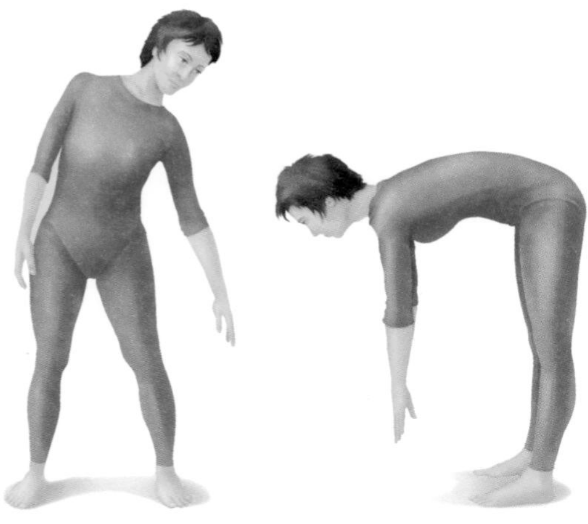

La colonne peut plier latéralement. La colonne permet de se pencher.

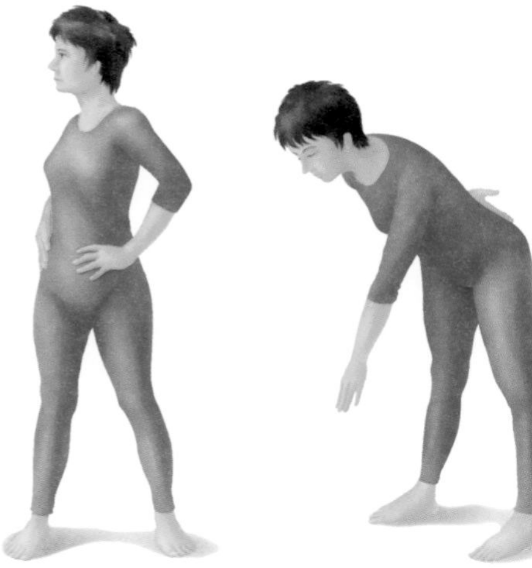

La colonne peut tourner. La colonne peut plier et tourner en même temps.

Les disques

La colonne n'est pas une structure rigide. Elle peut plier et tourner grâce aux coussins ou aux disques souples entre chacune des vertèbres. Le disque est une structure plate, en forme de biscuit, constituée d'un centre ou noyau gélatineux et d'un anneau fibreux (annulus) très résistant.

Les articulations facettaires

Les vertèbres sont liées l'une à l'autre par des paires de petites articulations à l'arrière de la colonne, une de chaque côté. Elles peuvent être affaiblies par le stress ou par l'usure et développer des enflures osseuses, exerçant ainsi une pression sur les nerfs.

Le réseau nerveux

Le système nerveux ressemble à un réseau téléphonique qui transporte des messages aller-retour entre votre cerveau et différentes parties de votre organisme. Les messages qui descendent le long des nerfs provoquent des contractions musculaires et contrôlent les mouvements comme la marche. Ceux qui remontent vers le cerveau transmettent des sensations comme le toucher et la douleur lorsqu'elles atteignent votre cerveau.

Ce qui se produit lors des blessures au dos

Comme la moelle épinière transmet les messages aller-retour dans l'organisme, en cas de lésion, la « connexion » peut être entravée, ce qui peut entraîner une perte de sensation, de la douleur et la faiblesse des mouvements. C'est ce qui se produit lorsqu'une personne devient paralysée après un grave accident.

La colonne vertébrale – vue latérale

Vue de côté, la colonne vertébrale humaine montre une courbe définie. Ce n'est pas une structure rigide; elle peut plier et se déformer grâce aux disques entre les vertèbres. Celles-ci sont fixées au crâne à l'extrémité supérieure et au bassin à l'extrémité inférieure.

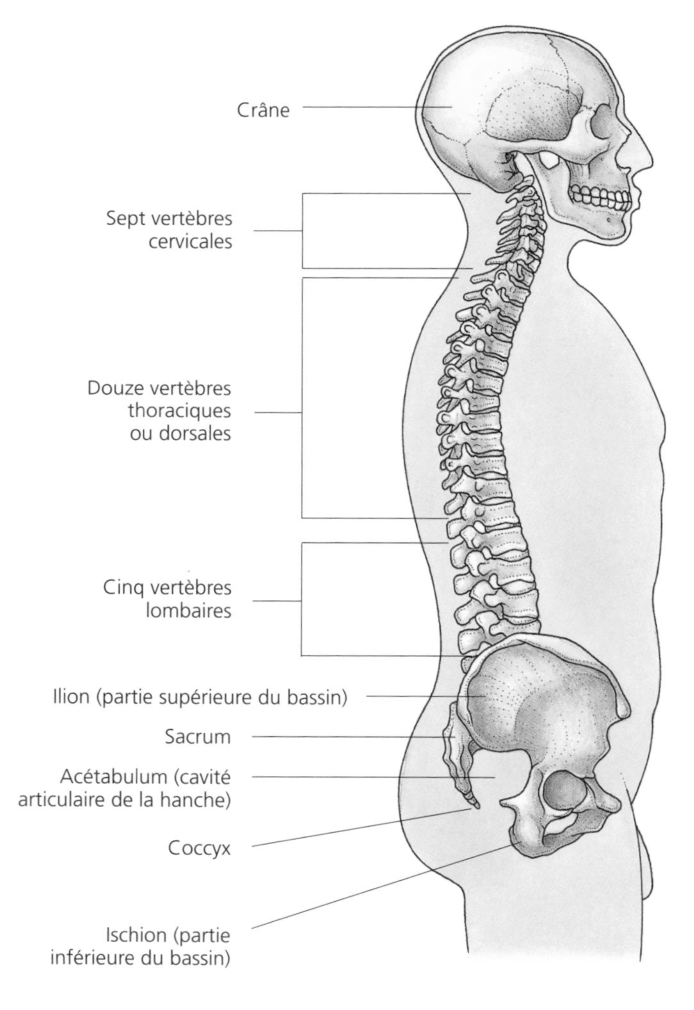

La colonne vertébrale – vue arrière

Vue de l'arrière, la colonne vertébrale consiste en une colonne de blocs osseux appelés vertèbres, qui reposent l'une sur l'autre. Elles sont numérotées en ordre descendant selon leur emplacement :

- Sept vertèbres cervicales = C1 à C7
- Douze vertèbres thoraciques = T1 à T12
- Cinq vertèbres lombaires = L1 à L5

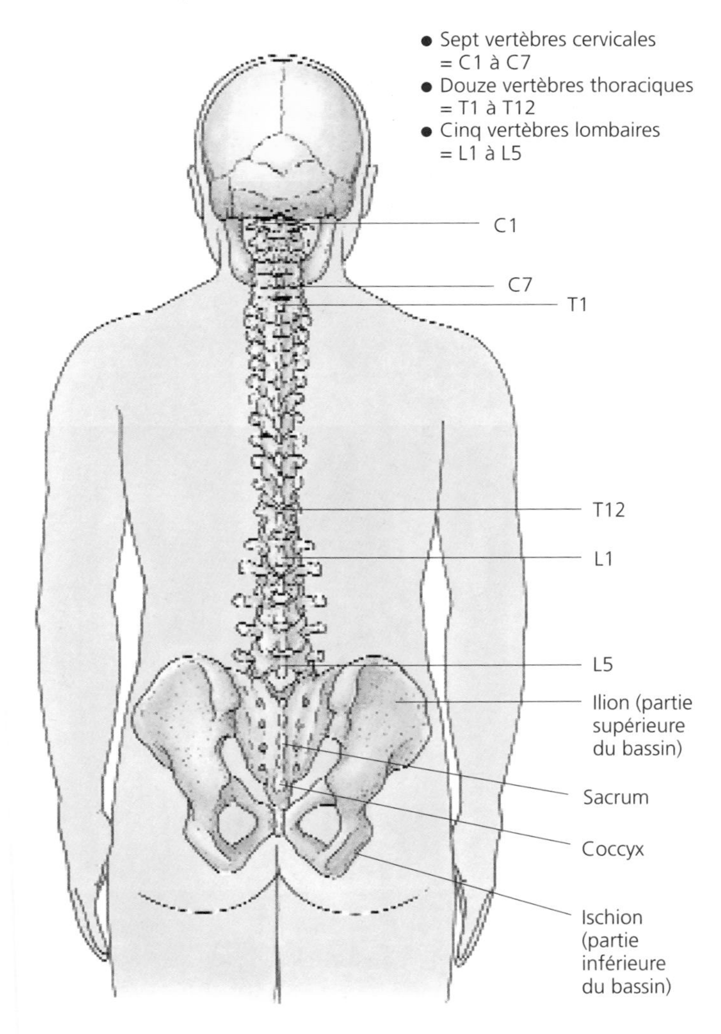

La structure de la colonne vertébrale

Les vertèbres sont séparées l'une de l'autre par des disques intervertébraux souples. Chaque disque est une structure plate, en forme de biscuit, constituée d'un centre (noyau) gélatineux et d'un anneau fibreux (annulus) très résistant.

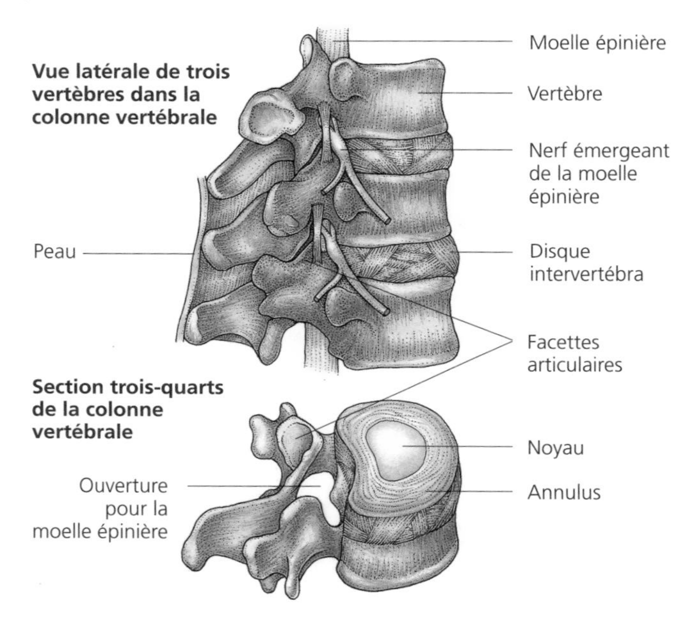

Selon l'emplacement de la lésion, elle ne peut plus bouger les bras, les jambes ou les quatre membres.

S'il s'agit d'une blessure au cou, la paralysie et la perte de sensation peuvent toucher les bras et les jambes. Par contre, si la lésion se trouve dans le segment thoracique ou lombaire (sous le niveau des bras), seuls les muscles des jambes sont touchés. Heureusement, en général, la plupart des problèmes au dos entraînent des lésions aux nerfs seulement et ne touchent pas la moelle épinière.

La moelle épinière et les nerfs

Un « câble » de tissus nerveux appelé moelle épinière prolonge le cerveau le long de la colonne à l'intérieur du canal formé par les vertèbres. Les racines nerveuses se détachent de la moelle épinière, parcourent de courtes distances dans le canal puis émergent en paires, l'une de chaque côté de la colonne vertébrale afin d'innerver l'organisme, les bras et les jambes.

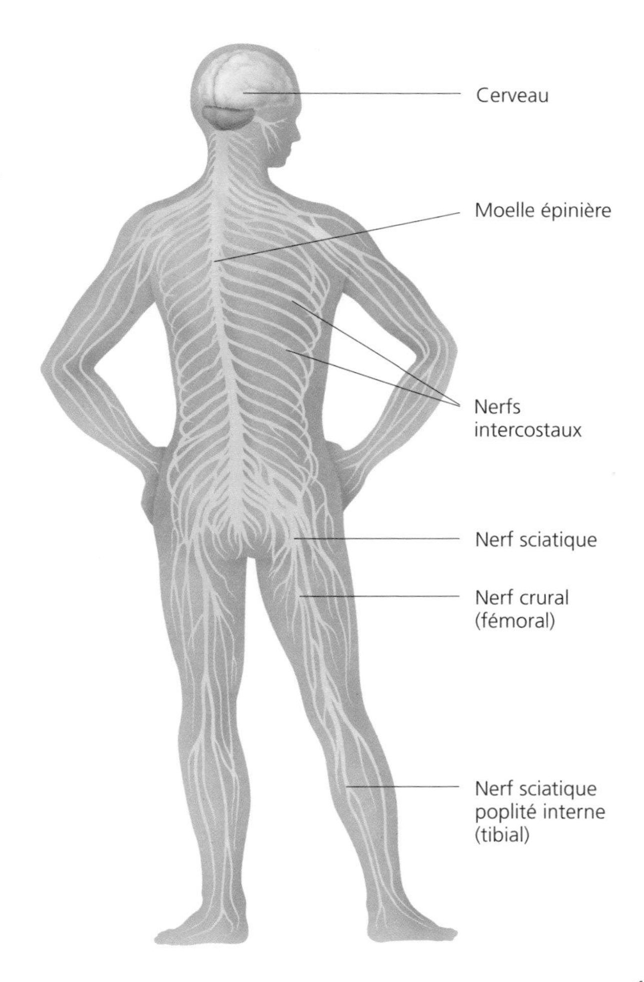

Vous pouvez ressentir dans le dos la douleur résultant de blessures directes aux ligaments, aux tendons, aux articulations et aux autres structures. Comme les nerfs qui innervent ces tissus innervent aussi les jambes, vous pouvez avoir l'impression que la douleur provient des jambes.

En outre, il est possible qu'une pression soit exercée directement sur les nerfs, causant de la douleur, une perte de sensation et une faiblesse dans les jambes.

Recherche des causes de la dorsalgie

Le dos est donc une structure très complexe. En cas de blessure, la dorsalgie peut survenir pour plusieurs raisons et il est nécessaire de procéder à une analyse approfondie pour déterminer ce qui s'est produit chez chaque personne. Heureusement, la plupart des accès aigus s'atténuent spontanément, sans qu'il soit nécessaire d'intervenir. Par conséquent, on effectue rarement des tests très poussés pour découvrir les blessures précises à l'origine des problèmes. Cela dit, lorsque les symptômes sont plus graves et prolongés, il devient important de déterminer avec précision ce qui ne va pas. Un examen approfondi et des tests poussés, notamment les nouvelles formes de visualisation par ordinateur, peuvent s'avérer pertinents.

POINTS CLÉS

- La colonne vertébrale est constituée de vertèbres reliées entre elles par des disques et des facettes articulaires. Le disque est constitué d'un noyau central gélatineux entouré d'un anneau fibreux très résistant, l'annulus.
- La douleur peut survenir à cause d'une lésion subie par un vaste ensemble de structures.
- La douleur est transmise par les nerfs. Les différentes façons de stimuler les nerfs sont très complexes et dépendent du tissu ou du type de nerf précis qui a été touché.
- En général, comme la plupart des accès aigus de dorsalgie s'atténuent rapidement, il n'est pas nécessaire de procéder à des tests poussés pour en déterminer la cause précise.

Reconnaître la douleur et y remédier

Qu'est-ce que la douleur ?

La douleur est une sensation qu'il nous est tous très difficile de décrire. Traduire en mots le désagrément de l'expérience n'est pas tâche facile.

On s'est beaucoup attardé à décrire la douleur et les experts conviennent que la douleur est une « expérience émotionnelle et sensorielle désagréable, qui accompagne des lésions présentes ou possibles aux tissus, ou qui est décrite en ces termes ».

La réaction émotionnelle qui exacerbe notre sensation de douleur est mise en relief. Certaines personnes décrivent un inconfort, mais elles s'en accommodent, alors que d'autres personnes qui ont subi une blessure semblable sont très perturbées. Nos réactions émotionnelles à la douleur expliquent l'expérience que nous faisons, surtout dans les situations de douleur chronique (prolongée).

La gestion moderne de la douleur vise à :

- soulager les lésions des tissus qui peuvent causer la douleur;
- bloquer les voies de la douleur;

- nous aider à vivre avec les situations douloureuses, de telle sorte que le patient continue à vivre tous les jours malgré les symptômes persistants.

En général, la douleur signale que quelque chose ne va pas. Elle sonne l'alarme pour nous inciter à nous protéger d'une blessure ou à la soulager.

Catégoriser la douleur

La douleur peut provenir de différentes causes.

Cause de la douleur	Exemple
• Blessure aux tissus de la peau	• Coupure ou éraflure
• Inflammation due à l'arthrite	• Douleur articulaire
• Lésion des nerfs	• Nerf coincé dans la colonne vertébrale

Où se situe la douleur ?

Si vous vous blessez au dos et que vous développez une dorsalgie, vous ressentez la douleur comme provenant du dos alors qu'en réalité, la douleur prend naissance dans le cerveau. Sans le cerveau, il n'y a pas de douleur.

Il s'ensuit que le traitement peut viser non seulement la région blessée, mais aussi la façon dont le système nerveux traite le message de douleur.

Souvenir de la douleur

Quelquefois la blessure guérit, mais le cerveau et le système nerveux central conservent le souvenir de la douleur, alors le patient croit qu'il a toujours mal au dos et, de fait, il a mal, mais le problème se situe au niveau de la mémoire de l'expérience douloureuse.

La douleur est réelle; elle n'est pas imaginaire. Cependant, le mécanisme qui produit la sensation de douleur se situe dans le système nerveux plutôt que dans le dos.

Ce souvenir de la douleur se développe surtout chez les gens qui souffrent de problèmes chroniques de dos. Chez ceux qui souffrent de symptômes persistants, le système nerveux génère de plus en plus la douleur et amplifie la gravité des symptômes du dos.

Par conséquent, le traitement de la douleur dépendra du développement et du stade du problème.

Traitement de la dorsalgie

Apparition aiguë et soudaine de la dorsalgie

Au stade aigu de l'apparition soudaine ou des accès récurrents de dorsalgie, la douleur est principalement due à une lésion du dos et à la pression exercée sur les racines nerveuses. Le traitement approprié, selon le cas, peut être une courte période de repos, suivie d'une reprise des mouvements avec la physiothérapie, l'ostéopathie et la chiropratique, au besoin. Vous pouvez soulager la douleur avec de simples analgésiques ou, quelquefois, des anti-inflammatoires (voir p. 79).

La dorsalgie chronique

En cas de dorsalgie chronique persistante, il devient nécessaire de procéder à une investigation approfondie en vue de s'assurer qu'il n'y a pas de problème sous-jacent. Le traitement supplémentaire comprendra des médicaments qui calmeront le système nerveux central en réduisant l'excitabilité des fibres nerveuses dans la moelle épinière de l'encéphale, qui génèrent la sensation de douleur.

Les programmes de réadaptation et de gestion de la douleur deviennent importants et peuvent comprendre une thérapie cognitivo-comportementale (TCC), qui aide les personnes qui souffrent de dorsalgie chronique à comprendre la nature de leur problème et à trouver des moyens de s'y adapter et de vivre une vie normale.

Maintenant que nous comprenons le mécanisme par lequel nous sentons la douleur, nous pouvons aborder quelques problèmes de dorsalgie courants et apprendre comment les gérer.

POINTS CLÉS

- La douleur est une expérience désagréable qui suggère au patient qu'il a subi une douleur réelle ou imaginaire.
- La douleur peut survenir en raison d'une lésion locale et de l'inflammation ou d'une lésion des nerfs.
- Bien que la dorsalgie semble provenir du dos, le processus de la sensation émane de l'encéphale.
- Il existe un souvenir de la douleur dans le système nerveux, de telle façon que la sensation de douleur peut persister même lorsque la blessure est guérie.
- Les réactions émotionnelles peuvent augmenter la perturbation causée par la douleur.
- Il existe différentes stratégies de traitement pour la dorsalgie aiguë et les problèmes de dorsalgie chronique.

Quelques dorsalgies courantes

Maintenant que nous connaissons la constitution de la colonne vertébrale, on comprend plus facilement où et pourquoi les problèmes peuvent survenir.

Dorsalgie non spécifique

De nombreuses personnes qui souffrent de problèmes de dos connaissent de brefs accès de douleur qui disparaissent complètement. Comme aucun diagnostic formel n'est posé, cette dorsalgie est dite non spécifique. Il n'est pas nécessaire de procéder à des investigations approfondies et il est souvent très difficile de déterminer la cause sous-jacente avec précision. Quelquefois, il y a présence de zones endolories sur la colonne, entre le sacrum et l'os iliaque du bassin.

La douleur peut provenir d'une foulure des ligaments, des tendons ou d'autres tissus mous. Bien que la cause soit généralement incertaine, on utilise souvent des termes comme foulure lombo-sacrée et distension sacro-iliaque, mais l'expression « dorsalgie non spécifique » est plus juste, car elle ne suggère pas que l'on connaît la cause de votre problème. Une investigation plus approfondie est nécessaire pour cerner la cause seulement lorsque la douleur ne se calme pas.

La hernie discale

Les disques peuvent s'user, se rompre ou éclater. Cela peut se produire quand la colonne subit un certain stress (par des mouvements comme la flexion, la torsion ou le levage d'objets). Le disque se rompt ou glisse et le noyau central gélatineux est expulsé par une fente dans l'anneau externe.

Les conséquences d'une hernie discale

Sous l'effet du stress, le disque intervertébral peut se rompre, expulsant le noyau qui peut alors comprimer la racine du nerf rachidien et l'irriter. Cette douleur se ressent souvent dans la jambe, et parfois même jusque dans le pied.

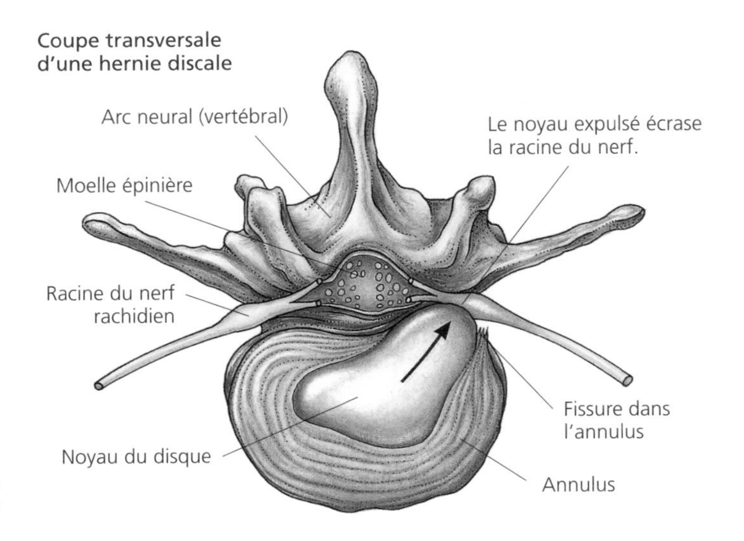

Nous croyons maintenant que la plupart des disques qui présentent une hernie ont auparavant subi des changements dus à l'usure et que le stress sur la colonne a déclenché le problème. Autrement dit, le disque était déjà anormal et aurait éclaté tôt ou tard de toute façon. Le stress précis qui a provoqué la hernie a simplement sonné le glas.

La substance gélatineuse expulsée compresse le nerf qui longe le disque, causant une douleur intense dans le dos qui se propage à la jambe et au pied. Certains de vos muscles peuvent faiblir et vous pouvez perdre le réflexe achilléen, que l'on teste en donnant un petit coup sur le tendon avec un marteau. Le site de ces changements peut aider le médecin à déterminer le nerf précis qui a subi une lésion.

La douleur causée par une hernie peut être très intense. Habituellement, les symptômes s'atténuent lentement et disparaissent complètement. Néanmoins, le disque éclaté demeure faible et le risque d'un autre accès de douleur est toujours présent.

La sciatique

Comme la région inférieure de la colonne lombaire supporte la plus grande partie du poids du corps et des forces de flexion, les nerfs les plus souvent touchés sont ceux de la cinquième racine lombaire (qui émerge de la colonne entre les quatrième et cinquième vertèbres lombaires) et de la première racine sacrée (qui émerge entre la cinquième vertèbre lombaire et la première partie du sacrum). Ces deux nerfs se joignent pour former le nerf sciatique qui descend à l'arrière de la jambe jusqu'au pied. La sciatique est le nom donné à la douleur qui survient lorsque ce nerf subit une lésion.

La région lombaire de la colonne vertébrale

La région inférieure de la colonne vertébrale (région lombaire) supporte la plus grande partie du poids du corps et des forces de flexion. Les nerfs le plus souvent touchés sont ceux de la cinquième racine lombaire (entre L4 et L5) et de la première racine sacrée (entre L5 et S1).

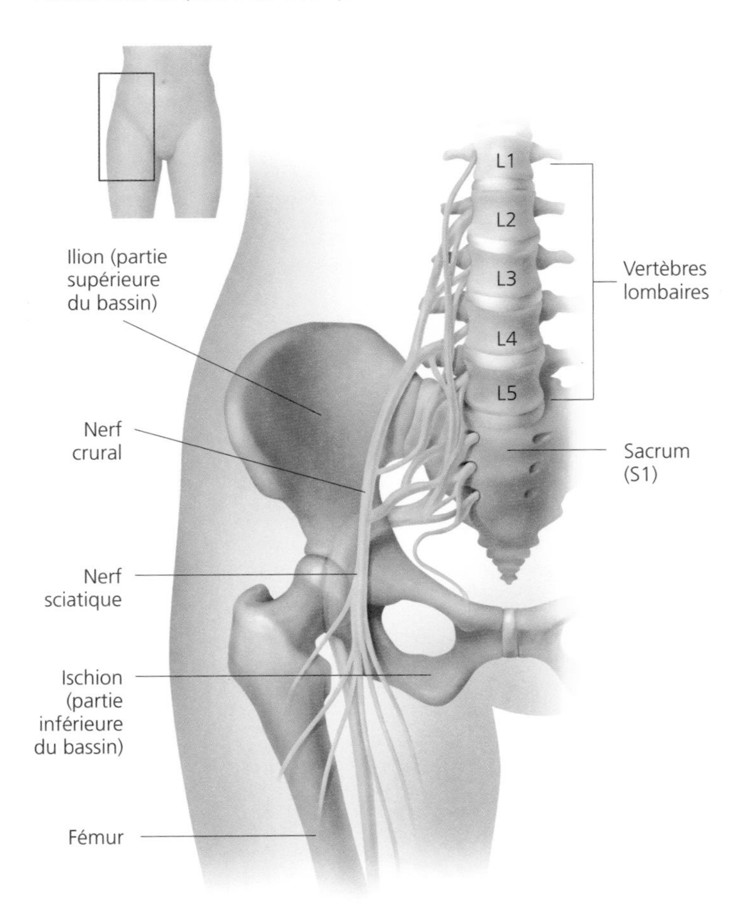

Les nerfs sciatiques

Les nerfs sciatiques sont les nerfs les plus volumineux de l'organisme. Ce diagramme montre une hernie du disque L5/S1 compressant la racine du nerf sciatique et causant de la douleur qui peut être ressentie dans la jambe.

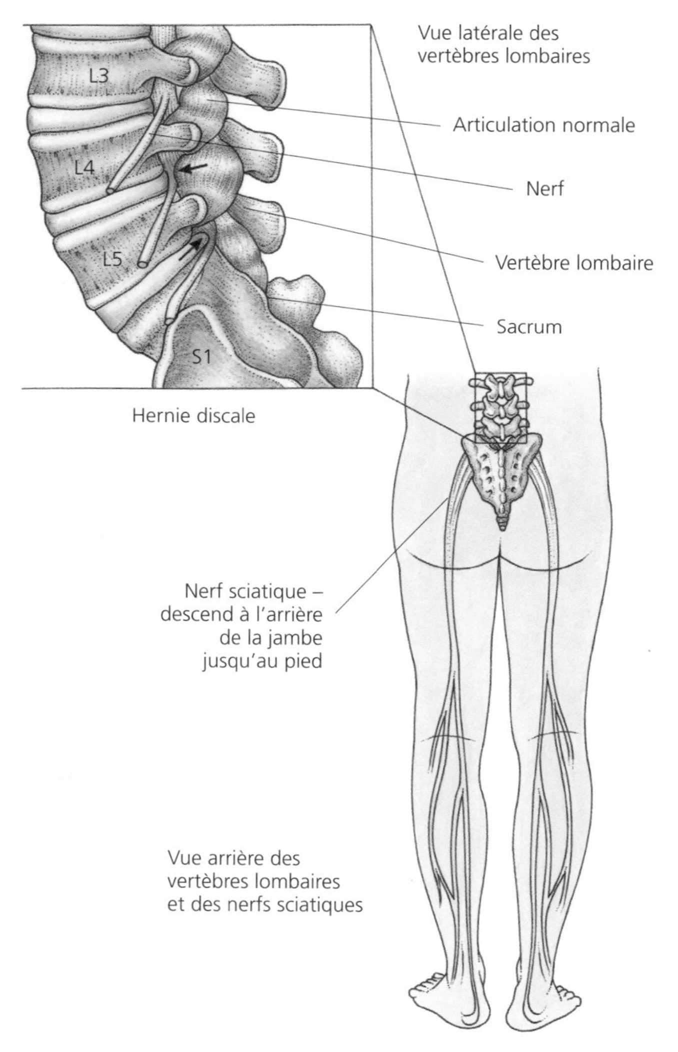

La spondylose, une conséquence de l'usure

La spondylose ou l'usure de la colonne vertébrale est très courante. De fait, les changements commencent vers l'âge de 25 ans et presque tous les gens d'âge moyen sont touchés. C'est l'une des principales raisons qui expliquent que les athlètes sont au sommet de leur performance au début de la vingtaine.

Le bas du dos supporte le poids de tout notre organisme, et tout ce que nous portons; c'est aussi le principal point de flexion et de torsion. C'est pourquoi la région lombaire est la partie de la colonne vertébrale qui s'use le plus rapidement et on parle de lombarthrose.

La lombarthrose se produit le plus souvent au niveau le plus bas, surtout entre les quatrième et cinquième vertèbres lombaires (L4/L5), et la cinquième vertèbre lombaire et la première vertèbre sacrée (L5/S1), et elle induit la sciatique (voir p. 22). Elle atteint à la fois les disques et les facettes articulaires.

Le disque et le cartilage qui recouvre les facettes articulaires s'effritent. L'os au bord des disques et des facettes prend du volume, ce qui restreint les mouvements. La colonne devient plus rigide et l'os peut comprimer les nerfs, les ligaments et d'autres structures, et causer de la douleur.

Toutefois, la situation est moins déprimante qu'elle ne le paraît. L'usure n'implique pas nécessairement que vous souffrirez de dorsalgie. De nombreuses personnes sont très atteintes, les changements dus à l'usure sont très importants, et pourtant, elles n'ont presque pas ou pas du tout de problèmes, alors que d'autres, qui ont subi moins de changements souffrent d'accès de douleur invalidants. Ce type d'usure et les changements qui l'accompagnent n'ont en général que peu d'importance.

Les conséquences de l'usure sur la colonne vertébrale

La lombarthrose (usure dans la région inférieure du dos) est très courante. Ici l'os au bord du disque intervertébral et de la facette articulaire a pris du volume. Il compresse la racine du nerf et cause de la douleur.

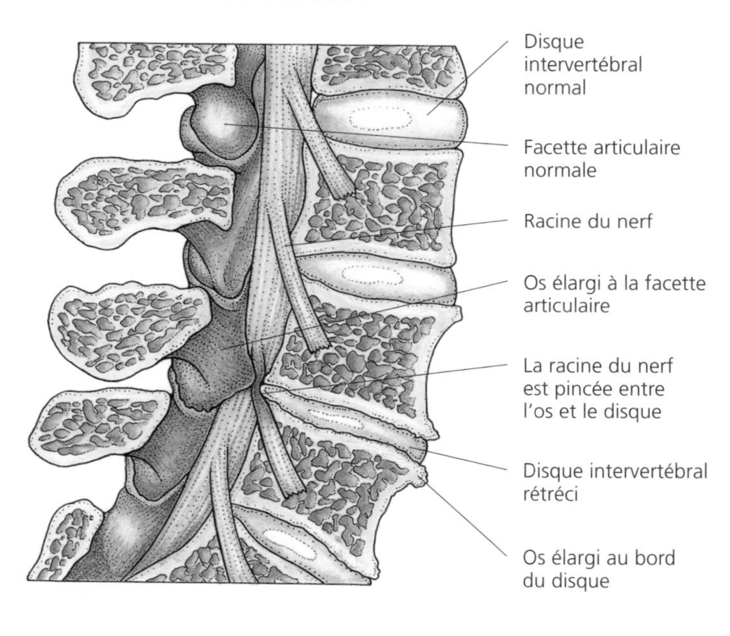

Le lumbago

Les accès récurrents de douleur aiguë, qui peut se propager aux fesses ou à l'une des cuisses, comptent parmi les problèmes de dos les plus courants. Pendants l'accès, votre dos peut être raide et endolori. Lorsque les symptômes sont très intenses, on parle d'un lumbago. La douleur peut durer un jour ou deux, ou quelques semaines chaque fois. Il arrive qu'elle disparaisse complètement, qu'elle persiste ou récidive. Les symptômes s'aggravent avec une mauvaise posture ou en levant des objets lourds.

Les rayons X montrent fréquemment la présence de lombarthrose, mais des études ont révélé que ces changements se produisent souvent chez des gens qui n'ont aucun symptôme. Il est donc difficile d'évaluer leur rôle dans la douleur et on parle souvent de lombalgie non spécifique pour décrire le lumbago.

Les problèmes de nerfs

Les nerfs sont facilement écrasés par les vertèbres, les facettes articulaires ou les disques altérés dans le canal rachidien, dès qu'ils émergent des côtés de la colonne vertébrale. Lorsqu'un nerf est écrasé, sa capacité à transmettre des messages est réduite. Dans la région innervée, vous pouvez ressentir de la douleur, des engourdissements ou des fourmillements, et les muscles contrôlés par le nerf dans votre jambe ou votre pied peuvent s'affaiblir. La moelle épinière transmet ces sensations à l'encéphale. Cela peut ressembler au brouillage, sur un fil téléphonique, qui produit des bruits désagréables et une mauvaise qualité de son. En fait, les recherches actuelles indiquent que le phénomène est beaucoup plus complexe. Les changements subis par la moelle elle-même peuvent modifier le message de douleur, ce qui peut expliquer pourquoi certains patients continuent d'éprouver des symptômes généralisés et prolongés, une fois la lésion guérie, et qu'il y a peu de signes de problème au dos.

La coccygodynie

C'est le nom qu'on donne à la douleur ressentie au coccyx, dont on ignore la cause en général. Il est plus confortable de s'asseoir sur un coussin jusqu'à ce que la douleur disparaisse d'elle-même avec le temps.

Les nerfs écrasés et coincés

Les nerfs sont facilement écrasés dans le canal rachidien dès qu'ils émergent des côtés de la colonne vertébrale. Lorsqu'un nerf est écrasé, vous pouvez éprouver de la douleur, des engourdissements et des fourmillements dans la région innervée, de même qu'une faiblesse musculaire.

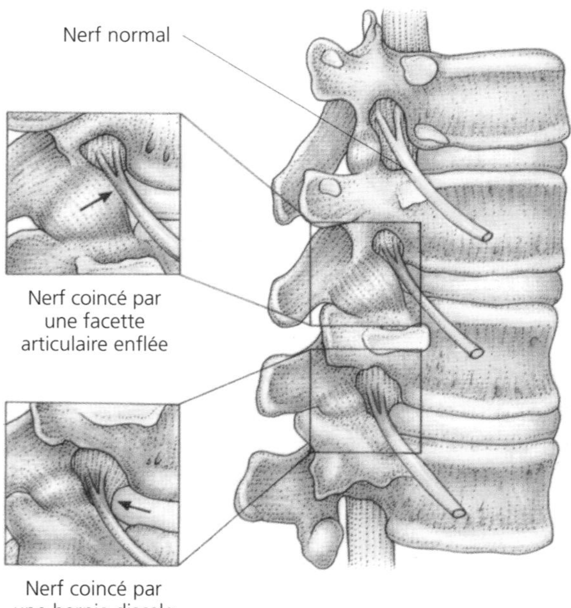

Les problèmes du cou

Cette section n'aborde que brièvement les troubles courants liés au cou. Comme il fait partie de la colonne vertébrale, il est aussi sujet aux problèmes de disques et d'usure.

Alors que la douleur de la région lombaire se propage aux jambes, la cervicalgie peut toucher les épaules et les bras. Pour les problèmes simples, le traitement consiste

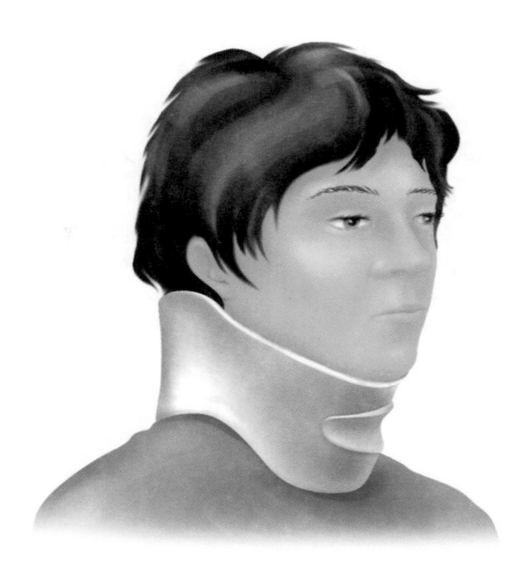

Collet cervical

à se reposer, à prendre des analgésiques, et comprend parfois la physiothérapie. Un collet cervical rembourré assure que le cou est bien soutenu et au repos.

Le torticolis aigu

De nombreuses personnes se sont déjà éveillées le matin avec une nuque raide et douloureuse, souvent sans raison apparente. Il se peut qu'on puisse bouger la tête d'un côté seulement et que les muscles de la région inférieure du cou soient endoloris, mais il n'y a pas d'autres symptômes dans le dos, les bras ou les jambes. La douleur provient d'un spasme musculaire. Elle disparaîtra avec un collet cervical et des analgésiques en trois ou quatre jours. À l'occasion, il peut être bénéfique d'exercer une traction constante, très délicate, sur le cou.

Le coup de fouet cervical

Le coup de fouet est courant après un accident de voiture, lorsque le choc brusque ne donne pas le temps aux muscles de prendre appui. La tête oscille comme un pendule sur le cou. Dans les cas les plus simples, seuls les ligaments du cou subissent une entorse et produisent des spasmes musculaires, un mécanisme de protection provoquant la douleur et la rigidité. S'il n'y a pas d'autres problèmes, le traitement consiste à prendre des analgésiques, une brève période de repos, à reprendre ses activités physiques et, quelquefois, à recourir à la physiothérapie. Dans certains cas, la douleur persiste pendant plus de six semaines, ce qui peut signifier que la blessure initiale est plus grave et qu'il y a des lésions aux disques ou à d'autres structures. Les nerfs ont pu subir une lésion ou être coincés. Une investigation plus approfondie est alors nécessaire et on doit pratiquer une intervention chirurgicale. Lorsque la douleur demeure

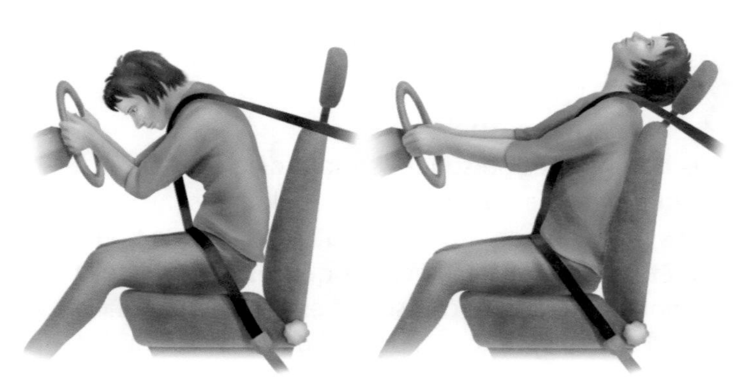

Brusque décélération lorsque vous frappez un véhicule.

Brusque accélération lorsqu'un véhicule vous frappe à l'arrière.

Coup de fouet cervical lors d'un accident de voiture.

intense pendant plusieurs mois, le patient peut s'attendre à une invalidité permanente.

Les problèmes de disque dans le cou

Une hernie cervicale peut se développer, bien que celle-ci soit moins courante que la hernie lombaire. Le cou est très rigide, la douleur peut être fulgurante dans un bras et vous pouvez perdre tout réflexe, sensation et force dans ce bras. Dans la plupart des cas, la douleur disparaît avec le repos, les analgésiques, la traction au besoin, suivie d'une période d'activation en douceur à l'aide d'un collet. La physiothérapie peut aider à renforcer les muscles du cou.

Les problèmes d'usure

Les changements dus à l'usure, très courants dans le cou, sont connus sous le nom de spondylose cervicale. Elle se manifeste par la cervicalgie accompagnée de céphalée ou de douleur au bras, bien qu'il soit possible que vous n'ayez aucun symptôme. Les mouvements du cou sont restreints et certains patients ont un point sensible dans le trapèze, le muscle situé entre la nuque et les épaules. Les bras peuvent s'affaiblir et perdre leurs réflexes et le patient peut éprouver des sensations de fourmillement ou de picotement dans les bras.

Dans les cas les plus graves, l'os déformé et les ligaments peuvent exercer une pression sur la moelle épinière et entraver le contrôle des bras et des jambes, ou une artère de cette région, l'artère vertébrale. Cela peut entraîner des étourdissements, un bourdonnement d'oreilles et une douleur derrière les yeux.

De nombreuses personnes qui souffrent de spondylose cervicale souffrent aussi de lombalgie. Les principes du traitement sont les mêmes : repos avec un collet, physiothérapie, anti-inflammatoires et analgésiques. Seul un petit nombre devront subir une intervention chirurgicale.

POINTS CLÉS

- Les disques peuvent éclater et former une hernie.
- La sciatique est causée par une lésion à l'un des deux nerfs qui se joignent pour former le nerf sciatique qui descend à l'arrière de la jambe.
- L'usure ou la spondylose de la colonne vertébrale est très courante avec l'âge, mais elle ne cause pas nécessairement de douleur.
- Les problèmes de cou sont semblables à ceux de la région lombaire.

Traiter la dorsalgie : les premières étapes

Trouver la cause du problème

Il nous arrive presque tous d'éprouver, de temps à autre, des accès soudains de dorsalgie qui durent habituellement près d'une journée. La seule chose à faire est de se montrer prudent et la douleur est bientôt oubliée. Cela dit, certaines personnes développent des accès de douleur intenses, qui restreignent leurs activités et leur capacité de travail.

Malgré toute la technologie moderne, dans de nombreux cas nous sommes incapables d'en déterminer la source exacte. La douleur peut provenir d'une lésion aux ligaments, aux muscles ou à d'autres tissus mous, mais souvent votre médecin ne pourra en déterminer la cause précise. La bonne nouvelle est qu'en général, cela importe peu, car les accès aigus de dorsalgie s'atténuent rapidement.

Le problème le plus courant est la simple dorsalgie. Dans ce cas, la douleur peut être confinée au dos ou se propager dans une fesse ou le haut d'une cuisse. Elle peut parfois descendre le long de la jambe, touchant le nerf sciatique et provoquant une sciatique (voir p. 22).

La pression exercée sur ce nerf peut provenir d'un disque ou d'autres structures altérés, causant de la douleur, et quelquefois un engourdissement et des fourmillements le long de la jambe. La présence d'une sciatique donne à penser qu'il y a lésion d'un nerf et que la guérison sera probablement lente.

Les symptômes graves

À l'occasion, la personne atteinte peut développer des symptômes plus graves, qui demandent l'intervention rapide d'un spécialiste. Cela sera nécessaire pour toute personne qui éprouve de la difficulté à contrôler sa vessie, ses intestins, un engourdissement dans la région de l'aine ou du rectum, ou une grande faiblesse des jambes, car il peut s'agir d'une lésion nerveuse plus grave.

Évaluer le problème

Habituellement, lorsque vous souffrez d'un grave problème de dos, la personne qui vous traite vous demandera des détails sur la façon dont la douleur a débuté, à quel moment, et sur ce qui s'est produit par la suite. Elle procédera à un examen physique. Parmi les questions qu'on peut vous poser, mentionnons les suivantes.

- Est-ce que la douleur se limite à une région ? Est-elle généralisée ?
- Est-ce que la douleur est fulgurante ou est-ce qu'elle se propage ailleurs, par exemple dans la jambe ?
- Est-ce que la douleur est survenue brusquement ou progressivement ? Si elle est survenue progressivement, en combien de temps ?
- Est-ce qu'elle est survenue au moment d'une activité ?

Le moindre détail dont le patient se plaint est important.

- Y a-t-il quelque chose qui intensifie la douleur ?
- À quoi ressemble la douleur lorsque vous vous éveillez ?
- Hormis ce problème, est-ce que votre santé est bonne ? Avez-vous perdu du poids, commencé à tousser ou souffert d'autres problèmes ?

Une douleur qui s'est manifestée en levant un objet lourd est aiguë, limitée à une petite région, s'atténue avec le repos, n'est probablement pas compliquée et devrait s'améliorer rapidement.

Cependant, si la douleur apparaît progressivement sur une période de plusieurs mois, ne semble pas liée à un mouvement, s'aggrave et qu'il y a d'autres problèmes comme la perte de poids, la cause peut être plus grave et il peut devenir nécessaire de procéder à des investigations particulières.

On vous demandera peut-être de passer une radiographie, mais habituellement, ce n'est pas nécessaire. Cela dit, la radiographie peut montrer quelques modifications dues à l'usure courantes même chez les gens qui ne souffrent pas de maux de dos et qui ont peu d'influence sur le choix de traitement. Chaque radiographie vous expose au rayonnement, c'est pourquoi elle doit être réservée aux personnes qui souffrent de dorsalgie intense qui ne répond pas au traitement et à celles qui souffrent de problèmes plus compliqués.

Vous n'aurez probablement pas besoin d'examens d'imagerie plus détaillés comme la tomodensitométrie (TDM) ou les techniques d'imagerie par résonance magnétique (IRM) (voir p. 69-70).

Le traitement

Les remèdes simples

Pour la plupart des gens souffrant de dorsalgie aiguë, un traitement très simple suffit :

- des comprimés d'analgésique comme le paracétamol ou l'ibuprofène. Ces comprimés ont peu d'effets secondaires et vous soulageront probablement. Vous pouvez demander à votre médecin des analgésiques plus puissants, sur ordonnance, s'ils ne suffisent pas.
- une courte période de repos au lit peut être utile pour ceux qui souffrent de douleur intense, mais un repos trop long peut aggraver les problèmes. Si tel est votre cas, restez au lit, sur le dos, pendant quelques jours au plus, puis recommencez à bouger en

En examinant votre dos, le médecin peut...

- Chercher des signes de courbure, observer la façon dont il plie et votre démarche.
- Le palper pour trouver des régions ou des points douloureux à la pression.

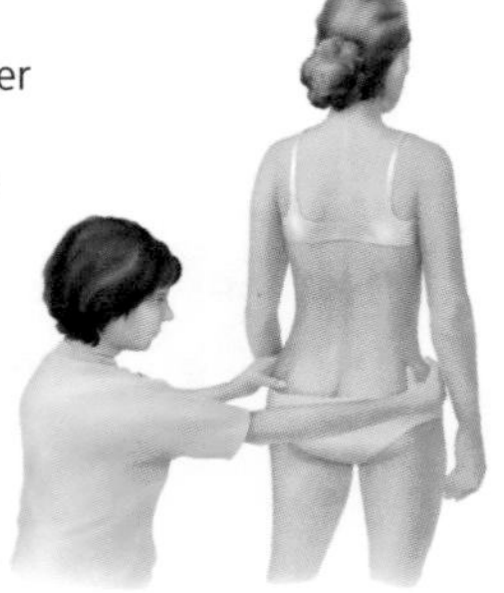

Examen du dos

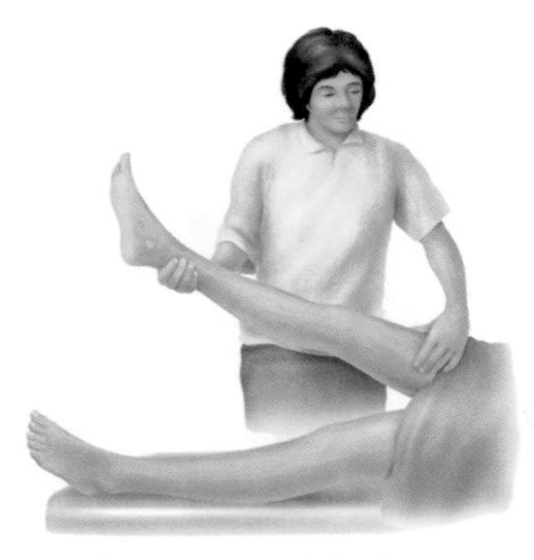

La manœuvre de Lasègue

- Effectuer la manœuvre de Lasègue. Le médecin lève chaque jambe vers le haut pendant que vous êtes étendu sur le dos. S'il y a un problème avec le nerf sciatique, vous ressentirez de la douleur.

- Effectuer la manœuvre de Lasègue inversée. Le médecin vous retourne sur le ventre et plie lentement chaque genou. S'il y a un problème avec un autre nerf, le nerf fémoral, vous ressentirez de la douleur.

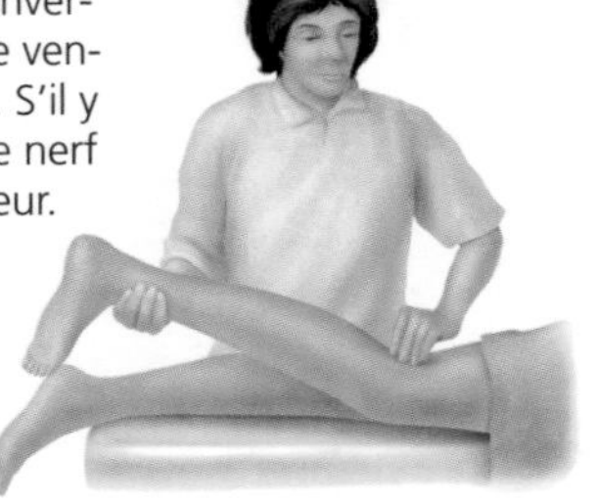

La manœuvre de Lasègue inversée

Test du réflexe achilléen

- Chercher des signes de perte de sensation ou de faiblesse dans les jambes.
- Il peut vérifier vos réflexes.

prenant soin de protéger votre dos. Le but est de reprendre vos activités normales le plus vite possible.

- Un cryosac comme un sac de glace ou de petits pois congelés contre le dos soulage la douleur chez quelques personnes alors que d'autres utilisent un coussin chauffant ou prennent une douche chaude. Dans un cas comme dans l'autre, le soulagement est de courte durée.

Pour la plupart des gens, ces remèdes simples suffisent à soulager la douleur, qui s'estompe en quelques jours ou en quelques semaines. Vous devez songer à reprendre vos activités physiques le plus vite possible. Il est important que vous teniez compte des conseils présentés au chapitre Protéger votre dos, en vue de réduire les risques de subir un nouvel accès de dorsalgie (voir p. 43).

Voir un thérapeute

Vous pouvez faire partie des malchanceux chez qui la douleur ne disparaît pas totalement. Si vous souffrez toujours après quatre à six semaines, vous devez voir un thérapeute qui peut être :

- un médecin compétent dans les techniques de traitement appropriées;
- un physiothérapeute;
- un ostéopathe;
- un chiropraticien.

La physiothérapie

C'est la thérapie physique la plus conventionnelle. Habituellement, le thérapeute a recours à la chaleur, aux doux massages et à l'exercice pour vous aider à rétablir vos mouvements, votre force et votre souplesse.

La plupart des physiothérapeutes ont reçu une formation en manipulation.

L'ostéopathie et la chiropratique

Ces méthodes thérapeutiques ont tendance à se concentrer sur la manipulation des articulations. En général, le chiropraticien utilise des poussées précises, douces et rapides, alors que l'ostéopathe utilise des mouvements lents et plus généraux. Tous les thérapeutes vous donneront des conseils sur les soins et la protection du dos.

En pratique toutefois, il est difficile de choisir entre ces techniques, car les principes sous-jacents sont les mêmes, notamment l'activation physique de la région touchée par différents types d'exercices et de manipulations.

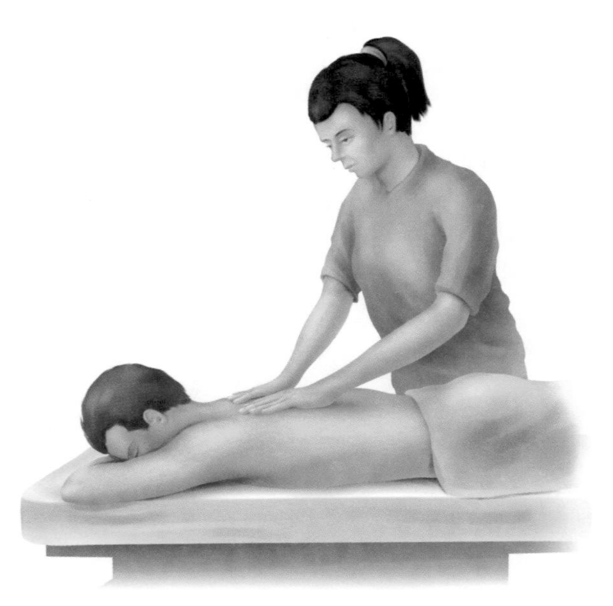

La physiothérapie est la thérapie physique la plus conventionnelle. Habituellement, le thérapeute a recours à la chaleur, aux doux massages et à l'exercice pour vous aider à reprendre vos mouvements.

L'intervention chirurgicale

On a recours aux analgésiques, au repos et à la mobilisation pour traiter la sciatique, mais le progrès est souvent beaucoup plus lent. Quelquefois, les gens qui souffrent de ce problème doivent subir une intervention chirurgicale pour réduire la pression sur le nerf. Vous trouverez de plus amples détails sur la dorsalgie persistante dans les deux chapitres suivants.

La dorsalgie récurrente

Le profil habituel de la plupart des épisodes de lombalgie aiguë est la guérison en quelques jours et parfois en une ou quelques semaines. Les personnes qui ont des antécédents de dorsalgie risquent de souffrir de nouveaux épisodes. Quelquefois, ceux-ci se produisent à la suite d'un accident ou d'une charge exceptionnelle, mais pour de nombreuses personnes, les rechutes aiguës peuvent être déclenchées par des activités physiques anodines. La réduction des stress exercés sur la colonne vertébrale, la compréhension de ses mécanismes et une meilleure condition physique aideront à prévenir la récidive d'une lombalgie.

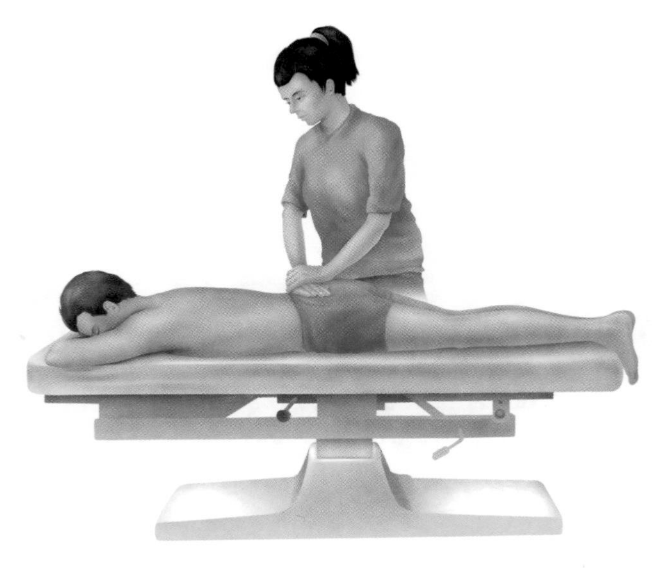

L'ostéopathie et la chiropratique ont tendance à se concentrer sur la manipulation des articulations.

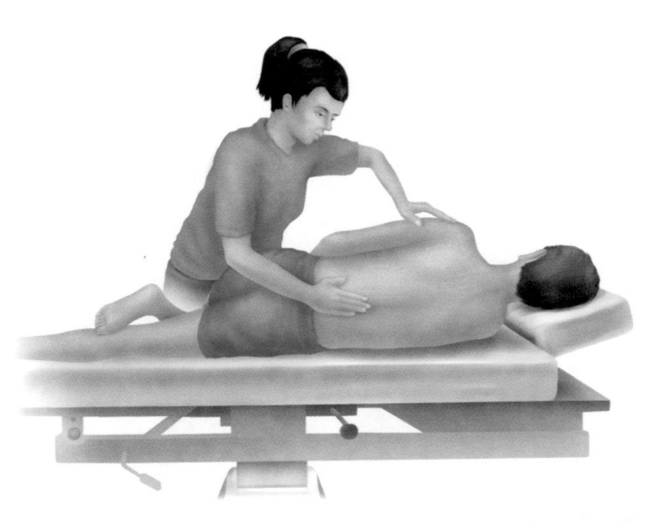

La manipulation des articulations de la colonne vertébrale peut aider à rétablir la mobilité et à soulager la douleur.

POINTS CLÉS

- La plupart des maux de dos aigus peuvent être liés à une simple dorsalgie.
- Une faible proportion de personnes sont atteintes de sciatique et quelques-unes souffrent de problèmes plus compliqués.
- La simple dorsalgie répond habituellement bien aux analgésiques et à une courte période de repos au lit au besoin. La personne reprend très vite ses activités physiques et retourne au travail.
- Si votre état ne s'améliore pas, vous devrez peut-être consulter un thérapeute ou un spécialiste qui entreprendra des investigations plus approfondies et un traitement.

Protéger votre dos

Réduisez les stress exercés sur votre dos

Quelques personnes qui ont une faiblesse au dos souffrent d'épisodes récidivants de dorsalgie, souvent en raison d'une mauvaise posture et de stress excessifs. Nous savons maintenant de quelle façon les différentes positions et les charges amènent des problèmes de dos. Vous pouvez apprendre comment réduire les stress que vous imposez à votre dos. Ces leçons sont importantes pour nous tous et en particulier pour quiconque souffre de dorsalgie et aimerait prévenir de nouveaux accès.

Améliorez votre posture

La façon de se tenir debout et de s'asseoir est importante et peut contribuer à améliorer considérablement notre capacité à surmonter la dorsalgie, tout en réduisant les stress sur la colonne vertébrale. Une mauvaise position debout peut étirer les ligaments rachidiens et causer des douleurs au dos et des courbatures. Voici quelques conseils qui vous aideront à améliorer votre posture.

- Une mauvaise position debout provoquera éventuellement des douleurs au dos. Tenez-vous debout, la tête vers l'avant et surtout, le dos bien droit. Votre poids doit être réparti sur les deux pieds, les jambes droites, et votre dos doit montrer la courbe naturelle de la colonne.

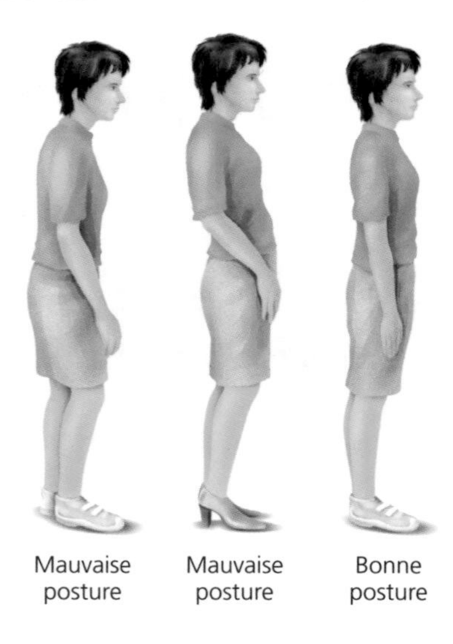

Mauvaise posture — Mauvaise posture — Bonne posture

- Demeurer dans la même position sans bouger pendant de longues périodes, surtout dans un fauteuil bas et mou, est une cause importante de douleur continue et de courbatures.

- Lorsque vous êtes assis devant un bureau, assurez-vous de vous tenir le dos droit avec un support pour le bas du dos. Le bureau doit être suffisamment haut avec assez d'espace pour vos jambes afin de vous permettre d'être assez près pour vous tenir droit et travailler confortablement. Il doit y avoir suffisamment d'espace sous la surface de travail pour que vous soyez près de votre travail sans avoir à vous pencher, et pour permettre à vos bras et vos jambes de bouger librement.

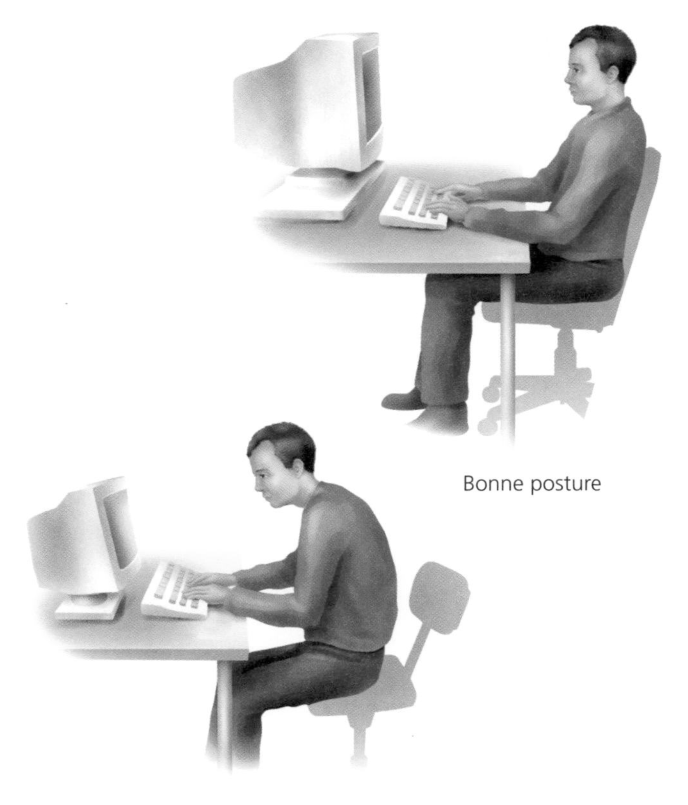

Bonne posture

Mauvaise posture

- Lorsque vous travaillez devant un comptoir, vérifiez s'il est suffisamment haut pour vous permettre de rester debout dans une bonne posture de travail confortable.

Mauvaise posture Bonne posture

Examinez vos souliers

Les femmes qui souffrent de dorsalgie ne devraient pas porter de talons hauts, car la partie inférieure de votre corps a tendance à se déplacer vers l'avant, alors vous arquez la partie supérieure vers l'arrière pour compenser, infligeant un stress à votre dos. Il est préférable de ne pas porter de souliers avec une semelle de plastique dur, car ils transmettent des ondes de choc le long de votre squelette lorsque vos talons entrent en contact avec le sol, ce qui aggrave souvent les problèmes de dos.

Les semelles et les talons matelassés ou les semelles intérieures qui amortissent les chocs peuvent atténuer ce phénomène et facilitent beaucoup la marche. Je recommande les chaussures athlétiques, car elles sont très confortables et elles minimisent les brusques ondes de choc.

Choisissez vos chaussures avec soin.

S'asseoir correctement

De nombreux fauteuils de détente sont mal conçus. Les pires sont souvent les fauteuils bas et les sièges de repos qui semblent mous et attrayants, mais qui maintiennent votre dos dans une position arrondie, causant de graves douleurs et des courbatures. Se percher sur un tabouret et se pencher aggravent souvent ces problèmes. Évitez cette position. Vous serez plus confortable dans une chaise droite qui soutient le bas de votre dos et maintient la courbe légèrement vers l'arrière de votre colonne lombaire. Au besoin, vous pouvez fabriquer votre propre support avec un petit coussin ou une serviette roulée. Vous pouvez aussi placer un appui-dos ou un rouleau lombaire derrière le bas de votre dos.

Le confort dans votre voiture

La dorsalgie est courante chez toux ceux qui passent de longues périodes derrière le volant. Toute personne sujette aux maux de dos peut souffrir de problèmes particuliers. Depuis quelques années, les fabricants d'automobiles se préoccupent de la conception des sièges de voiture et de la position du conducteur en vue de minimiser la dorsalgie. Cela dit, certains sièges sont mal conçus, maintenant le dos dans une position arrondie.

Une longue période dans cette posture peut entraîner des douleurs violentes. Les meilleurs sièges comportent un support lombaire intégré et réglable. On peut adapter la hauteur, le siège et les angles du dos au conducteur. Les commandes du pied doivent se trouver directement devant vos pieds et non en angle, car cela entraîne une torsion constante de la colonne vertébrale. Avec des rétroviseurs extérieurs adéquats, vous n'avez pas à vous retourner, et la servodirection réduit la tension sur votre colonne lorsque vous conduisez lentement.

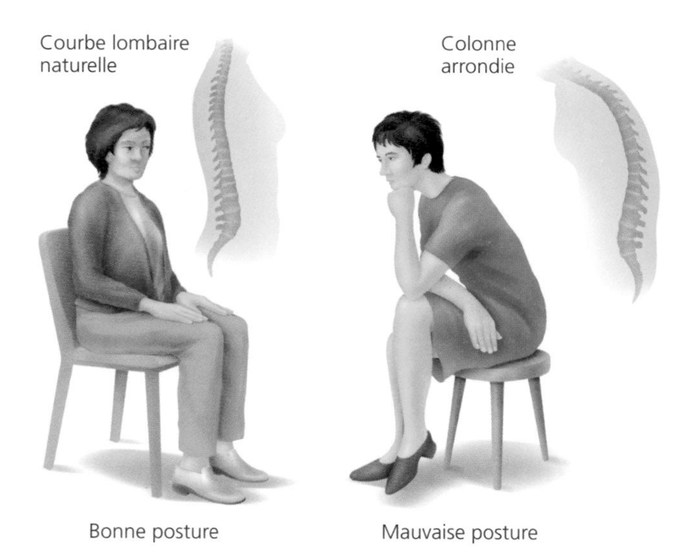

Tenez-vous droit en maintenant la courbe naturelle de votre colonne et les deux pieds à plat sur le plancher. Vous serez plus confortable dans une chaise droite qui supporte le bas de votre dos.

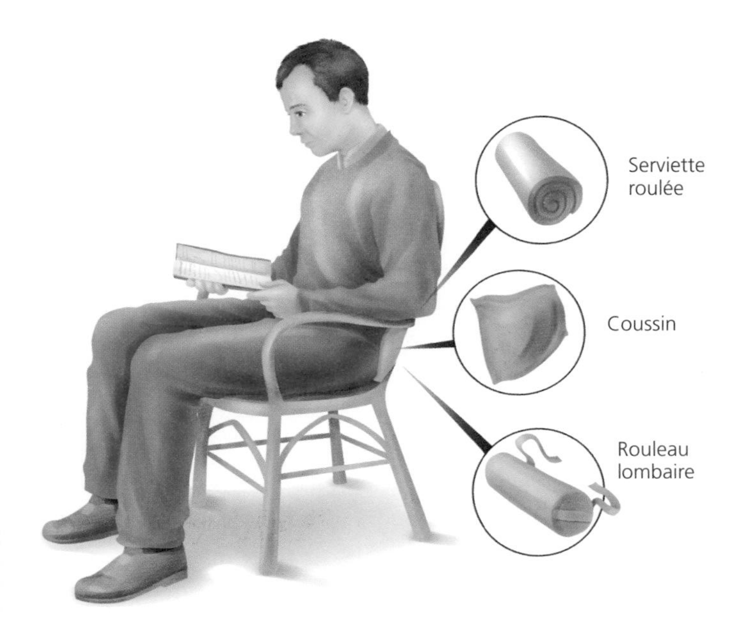

Au besoin, vous pouvez fabriquer votre propre support avec un petit coussin ou une serviette roulée. Vous pouvez aussi acheter un appui-dos ou un rouleau lombaire.

Lever une charge correctement

De nombreux problèmes de dos se développent lorsqu'on lève un objet. Très souvent, cela se produit lorsqu'on porte une charge penché et parfois avec une torsion exercée sur la colonne. En suivant quelques conseils pratiques, vous pouvez protéger votre dos et réduire les risques de problème.

Est-ce que l'objet est trop lourd ?

Avant de lever un objet, on doit d'abord déterminer si l'objet est trop lourd ou trop volumineux pour le bouger seul. Il n'y a pas de règle stricte pour connaître le poids maximal que vous pouvez lever sans danger. Tout dépend des circonstances, de la grosseur, de la forme et du poids de l'objet, de l'endroit où vous voulez le placer, de votre force et de votre santé.

La tension sur votre colonne est beaucoup plus importante si vous tenez l'objet à bout de bras plutôt que près de votre corps. Une personne qui souffre de problèmes de dos peut porter une charge beaucoup moins lourde et moins volumineuse qu'un adulte en santé. En général, un homme peut porter une charge plus lourde qu'une femme ou une jeune personne.

Vous devez tenir l'objet près de votre corps. Saisissez-le fermement avec la paume de vos mains plutôt qu'avec les doigts. Ne levez pas un objet lourd au-dessus de vos épaules, car cela produit une tension considérable sur la colonne. Les mêmes principes s'appliquent lorsque vous déposez un objet : un pied devant l'autre et perpendiculaires, tenez l'objet près de votre corps puis accroupissez-vous de façon que vos genoux s'écartent et déposez l'objet entre vos pieds.

Surveillez vos mouvements

Évitez les mouvements de torsion et le fait de vous pencher lorsque vous portez une charge lourde. Ces mouvements produiront un stress sur votre colonne et vous souffrirez de maux de dos. Cela vaut pour nous tous, et surtout pour ceux qui souffrent déjà de problèmes de dos.

Votre position lorsque vous dormez

Beaucoup de personnes commencent à avoir des maux de dos au lit, souvent parce que leur matelas est de mauvaise qualité et leur sommier s'affaisse sous le poids de leur corps. La plupart d'entre nous dorment

Comment lever un objet du plancher (la méthode cinétique)

Les mauvais mouvements sont à l'origine de nombreux problèmes de dos. En vous penchant, vous imposez une forte tension aux ligaments de votre dos, ce qui est une cause fréquente de douleur vertébrale intense.

Étape 1

1. La bonne position est d'écarter vos pieds, perpendiculaires l'un par rapport à l'autre, avec le pied avant pointant vers la direction du déplacement de l'objet. Votre position est stable et vous ne tournez pas votre dos en levant l'objet et en le déplaçant.

2. Accroupissez-vous en pliant vos hanches et vos genoux tout en gardant le dos droit. Votre colonne peut être entièrement inclinée vers l'avant, mais il est important de ne pas courber le dos. Dans cette position, l'objet est entre vos deux genoux bien écartés, et près de votre corps. Vous pouvez saisir l'objet fermement et vous levez l'objet avec les muscles de vos jambes.

Étape 2

Étape 3

3. Une fois debout, portez l'objet près de votre corps sans tourner votre dos. Déposez-le avec précaution, selon la même méthode, à l'inverse. C'est la méthode cinétique de soulèvement. De nombreuses industries enseignent à leurs employés à utiliser cette technique automatiquement, ce qu'on devrait tous faire.

sur le côté, ce qui produit une flexion latérale dans le dos qui peut entraîner des douleurs importantes et des courbatures. Avec un lit plus rigide, vous remédiez à une grande partie du problème. Le lit idéal comporte un sommier et un matelas ferme, avec de bons ressorts. Il n'est pas nécessaire qu'il soit dur.

En fait, si vous achetez un matelas très ferme et dur, il sera peut-être si inconfortable que vous dormirez mal. Lorsque vous choisissez un matelas, essayez-le pour vous assurer qu'il est ferme, mais confortable.

Malheureusement, un matelas de qualité, avec de bons ressorts peut être très cher. Si votre matelas est trop mou, il est presque aussi efficace de placer une planche ferme sur votre sommier, sous le matelas. La planche doit être de la même longueur que le lit et assez épaisse pour ne pas plier sous votre poids. Le panneau latté d'une épaisseur de 2 cm constitue un très bon choix.

Trop d'oreillers

Votre colonne vertébrale doit être aussi droite que possible, de façon que votre cou ne soit pas courbé de côté pendant la nuit, ce qui est le cas si vous avez trop d'oreillers. La courbure sera transmise à votre dos. En général, il est préférable d'utiliser un seul oreiller. Votre cou est alors bien aligné au reste de votre corps si vous êtes couché sur le côté.

Restez en forme

Si vous faites de l'embonpoint, votre dos subit une tension supplémentaire et cela peut entraîner une mauvaise posture. Il devient important de perdre du poids, non seulement pour votre dos, mais pour votre état de santé général.

Votre position lorsque vous dormez

De nombreuses personnes commencent à avoir des maux de dos au lit, souvent parce que leur matelas ne convient pas à leur poids et à leur taille.

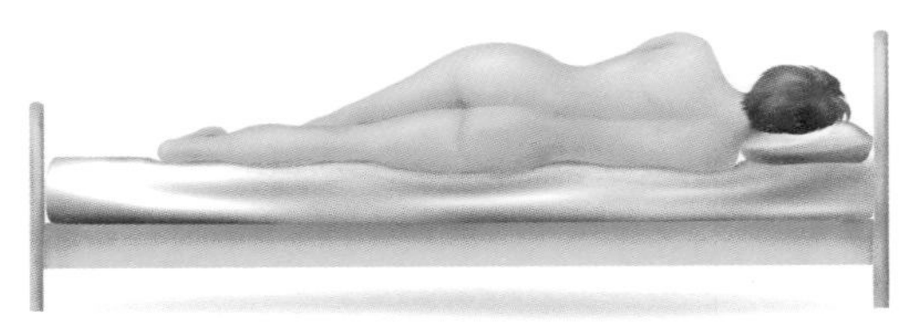

Bonne posture – le matelas est assez ferme pour supporter le corps tout en absorbant l'impression du corps (p. ex., des fesses et des épaules). La colonne vertébrale demeure droite.

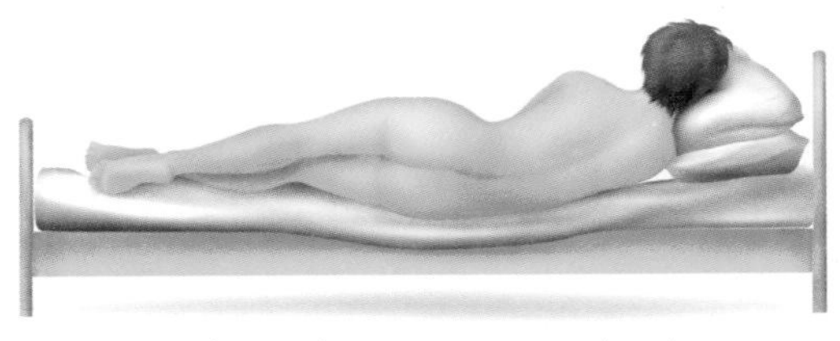

Mauvaise posture – le matelas est trop mou et la colonne est courbée. Trop d'oreillers entraînent une courbure excessive de la colonne.

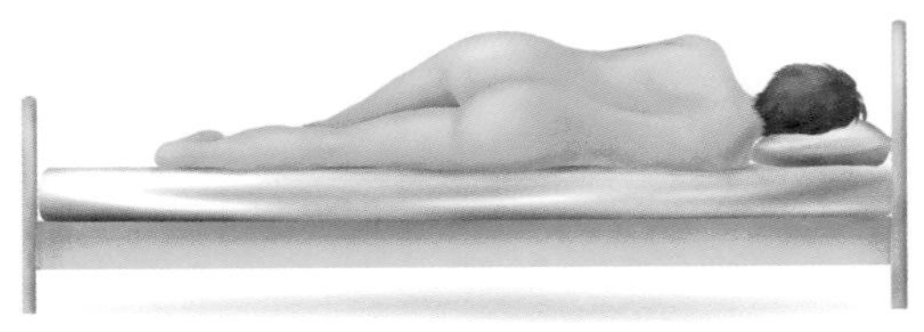

Mauvaise posture – le matelas est trop ferme. Tout le corps repose sur le matelas, déformant la colonne naturellement droite.

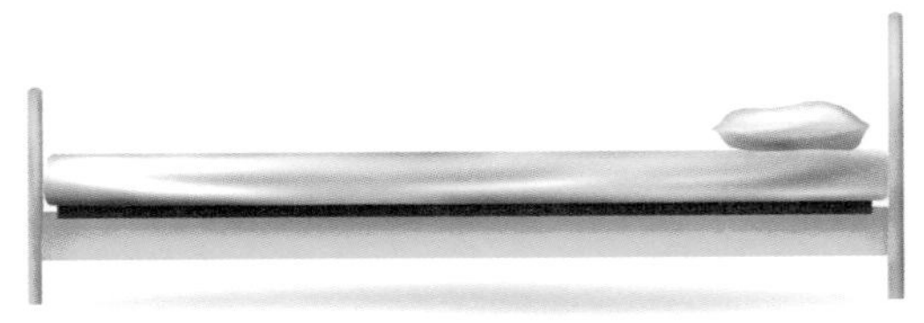

Un matelas avec de bons ressorts peut être cher. Il est presque aussi efficace de placer une planche ferme de la même longueur sous le matelas.

Exercice

Une bonne condition physique et l'exercice constituent une part importante de la prévention et du traitement si vous êtes sujet aux problèmes de dos. On croit que les exercices aident à prévenir la dorsalgie en augmentant la capacité du tronc à supporter les charges. Il existe de nombreux types d'exercices, comme la danse aérobique, l'entraînement aux poids, les étirements et les exercices d'assouplissement (voir p. 74-77). Le plus important est de rester en forme et de renforcer les muscles de votre colonne vertébrale.

Certains exercices peuvent intensifier la douleur. Si vous avez un problème de dos, il est important d'être prudent et de pratiquer des exercices conçus pour renforcer les muscles du dos et de l'abdomen, plutôt que ceux qui visent à forcer les mouvements du dos.

Soins du dos à la maison

En planifiant prudemment vos tâches, vous réduirez les stress sur votre colonne vertébrale et vous protégerez votre dos. Évitez de vous pencher et de lever des casseroles lourdes des armoires ou du four. Si vous devez les utiliser, appliquez les principes de soulèvement sans danger.

Évitez de vous asseoir dans des fauteuils bas. Un siège droit assez haut pour vous avec un dossier qui suit la courbe du dos sera beaucoup plus confortable. Évitez de vous pencher au-dessus de l'évier. Il est beaucoup plus facile de sortir de la douche que de la baignoire. Vous n'avez pas à accomplir tous vos travaux domestiques d'une seule traite. Travaillez à votre rythme et répartissez les tâches sur plusieurs jours.

Évitez de transporter un aspirateur lourd, surtout si vous devez monter et descendre l'escalier.

Soins du dos au bureau

Un lieu de travail mal conçu aggrave les problèmes de dos et, bien qu'il existe des principes bien établis, il est remarquable de constater qu'un grand nombre d'employés de bureau travaillent dans ces conditions. Il est important de ne pas travailler trop longtemps dans la même position. Prenez de courtes pauses fréquentes. Personnellement, je recommande de laisser le clavier cinq minutes par heure et de pratiquer une autre activité physique. Faites du classement, triez des documents ou préparez-vous une tasse de café.

Une bonne chaise est stable sur une base pivotante et sa hauteur est réglable. L'inclinaison du dossier est réglable et sa forme suit la courbe lombaire. Le siège peut être très légèrement incliné vers l'avant et sa hauteur doit vous permettre de poser les pieds à plat sur le sol ou sur un repose-pieds. Les pieds sans soutien exerceront une tension sur vos cuisses.

Le bureau doit être suffisamment large pour vous permettre de travailler confortablement. Idéalement, vous pourrez régler sa hauteur de façon à pouvoir travailler avec les coudes à 90 degrés.

Le haut de l'écran d'ordinateur doit être à peu près au même niveau que vos yeux. Vous devez avoir suffisamment d'espace pour appuyer vos poignets lorsque vous ne dactylographiez pas.

Une surface d'écriture en pente peut être beaucoup plus confortable.

L'attention à ces détails facilite la vie au travail de ceux qui souffrent de maux de dos.

POINTS CLÉS

- Une bonne posture est importante pour prévenir la dorsalgie.
- Évitez les souliers à talons hauts et les fauteuils qui s'affaissent.
- En soulevant un objet, employez la méthode cinétique de levage et ne soulevez pas d'objets trop lourds pour vous.
- Assurez-vous que votre matelas est ferme mais confortable et n'utilisez pas trop d'oreillers.

Quelles sont les causes de la dorsalgie persistante ?

Déterminer la cause de la dorsalgie

Certaines personnes souffrent de dorsalgie chronique ou persistante, et on doit procéder à une investigation approfondie pour en découvrir la cause et planifier le traitement.

Les troubles lombaires de nature mécanique sont de loin la cause la plus fréquente de la dorsalgie chronique. Par contre, pour un petit nombre de personnes, la douleur résulte de maladies inflammatoires, de troubles des os, de tumeurs ou de problèmes dans l'abdomen ou le bassin.

Les douleurs lombaires de nature mécanique

De nombreuses personnes souffrent de lombalgie persistante qui peut se propager dans les fesses ou les jambes. L'activité physique et certaines postures intensifient souvent la douleur. La colonne vertébrale est une structure très complexe et de nombreux problèmes peuvent survenir. Voici des causes courantes de douleurs lombaires de nature mécanique.

La lombarthrose ou les changements dus au vieillissement

Les radiographies du dos montrent souvent des signes de vieillissement dans les disques intervertébraux et les facettes articulaires. En réalité, ils apparaissent chez une personne âgée sur deux. Bien que ces personnes souffrent plus souvent de dorsalgie, la corrélation avec la présence de symptômes est faible. Il est possible que les radiographies montrent des signes d'usure importants, sans toutefois aucun symptôme chez la personne affectée. Pour cette raison, on doit traiter l'usure de la colonne vertébrale avec prudence. L'usure et la dorsalgie ne vont pas nécessairement de pair. L'usure ne signifie pas que la personne souffrira éventuellement de problèmes de dos ou deviendra un jour handicapée.

Dans le cas de la lombarthrose, la douleur est ressentie dans le bas du dos et elle est souvent plus prononcée d'un côté. Elle s'intensifie avec l'activité physique et lorsqu'on se penche, et s'apaise avec le repos. Par contre, certaines personnes peuvent souffrir de courbatures en se couchant dans une position, qu'elles ressentent surtout le matin en se levant ou si elles s'assoient pendant une longue période dans un siège de repos. La douleur peut se propager dans une fesse ou les deux, et parfois même à l'arrière d'une cuisse.

À l'examen, certains types de mouvements du dos sont généralement limités, alors que d'autres mouvements sont relativement libres.

La hernie discale ou le disque éclaté

Un disque peut éclater sous le stress, généralement vers l'arrière et d'un côté, et exercer une pression sur un nerf, ce qui entraîne des douleurs qui se propagent à la jambe. Souvent, le disque montrait déjà des signes d'usure et s'en trouvait dangereusement affaibli. Un stress particulier a précipité l'éclatement du disque, qui se serait produit de toute façon. En cas de hernie, la personne peut développer une sciatique (voir p. 22). Le problème peut persister, tout comme la douleur, et entraîner une incapacité.

La personne décrira une douleur dans la fesse qui se propage derrière ou sur les côtés de la cuisse vers l'arrière du mollet et parfois au pied, en général sur le dessus ou les côtés extérieurs. Cette douleur, connue techniquement sous le nom de paresthésie, s'accompagne parfois d'engourdissements, et souvent de fourmillements ou de picotements parfois très douloureux.

L'examen révèle que le nerf est coincé. Lorsque la jambe est droite et qu'on la lève, la douleur est intense et le mouvement est limité. Certains mouvements du pied peuvent être faibles, on peut perdre le réflexe achilléen et la capacité de sentir peut être réduite dans la région de la lésion.

L'hypermobilité ou les articulations très souples et la lombalgie

Certaines personnes ont des articulations remarquablement souples. Elles peuvent se pencher en gardant les jambes droites et appuyer les paumes de leurs mains à plat sur le sol. Les articulations de leurs bras et de leurs jambes peuvent plier de façon étonnante. C'est le cas de nombreux sportifs, sportives, trapézistes et danseurs professionnels qui en tirent profit en pratiquant des activités physiques impossibles pour la plupart d'entre nous.

Hypermobilité

Paradoxalement, des années plus tard, l'hypermobilité les prédispose à des problèmes d'articulation. La répétition excessive de mouvements entraîne de l'usure et l'étirement excessif des tendons. Il s'agit d'une cause particulièrement importante de dorsalgie. Fait remarquable, la souplesse des mouvements du dos persiste chez ces patients et ils ont peine à convaincre leur médecin de leurs difficultés.

Les variations héréditaires de la colonne vertébrale

Nos formes et nos tailles diffèrent, tout comme nos colonnes vertébrales. Certaines personnes naissent avec une vertèbre lombaire supplémentaire, une de moins ou des vertèbres mal formées. En général, ces variations sont sans importance et ne causent aucune douleur.

Le spondylolisthésis

Il s'agit d'une vertèbre qui glisse en avant de la vertèbre sous-jacente en raison d'une faiblesse dans les arcs de support de la colonne vertébrale. Il en résulte un étirement excessif des nerfs ou des ligaments qui provoque de la douleur.

Ce glissement peut résulter d'une malformation des os de support au cours du développement, à l'arrière de la colonne, ou encore de l'usure entre les vertèbres.

La sténose du canal rachidien

Les racines des nerfs descendent le long de la moelle épinière dans la colonne vertébrale, puis elles émergent des côtés de la colonne à travers des ouvertures étroites (foramen) et descendent dans les jambes.

Les canaux rachidiens et les foramen sont de formes et de tailles différentes. Les nerfs sont plus susceptibles d'être écrasés dans les ouvertures plus petites.

On parle de sténose lorsque le rétrécissement affecte le canal rachidien, et celle-ci peut causer de la douleur, des engourdissements et des fourmillements dans les jambes pendant la marche, symptômes qui s'atténuent au repos. Ceux-ci sont très semblables à ceux des problèmes de jambes associés à un apport sanguin insuffisant. La douleur s'intensifie lorsqu'on se cambre vers l'arrière et s'atténue lorsqu'on se penche.

Si le rétrécissement affecte les foramen d'où émergent les racines des nerfs, le patient peut développer une douleur persistante de type sciatique. C'est ce qu'on appelle la sténose foraminale. Les interventions chirurgicales peuvent être très efficaces dans le soulagement de ces types de pression sur les nerfs.

La fibromyalgie

Les gens qui en souffrent développent un ensemble de symptômes. Ils ressentent une douleur généralisée dans le dos, se propageant vers l'arrière du thorax, dans le cou et les bras. Il y a souvent des points douloureux, surtout aux articulations sacro-iliaques, aux omoplates, à l'intérieur et à l'extérieur des coudes et des genoux, et ailleurs. Très souvent, ces personnes ont subi une batterie de tests approfondis sans qu'on ait pu établir une anomalie avec exactitude. De nombreuses personnes souffrant de fibromyalgie sont très bouleversées et déprimées; elles se sentent fatiguées et manquent d'énergie. Les médecins doivent donc déterminer si la douleur persistante a mené à la dépression ou si la dépression a intensifié la douleur.

Il est possible que leurs sensations douloureuses soient transmises de façon différente dans la moelle épinière.

Le sommeil est de mauvaise qualité pour plusieurs, qui s'éveillent fatigués avec des douleurs généralisées et des courbatures. Des études suggèrent que ces problèmes de sommeil peuvent être à l'origine de la fibromyalgie. Les personnes atteintes peuvent souffrir d'autres problèmes comme la migraine et le syndrome du côlon irritable.

Les autres causes de dorsalgie

Bien que la plupart des dorsalgies résultent de troubles mécaniques comme ceux que j'ai décrits, pour un petit nombre, il s'agit d'un symptôme d'une autre maladie. Ainsi, vous devriez toujours consulter un médecin et subir un examen rigoureux, surtout si la douleur apparaît pour la première fois ou si elle se manifeste soudainement de façon différente. Parmi les autres causes de dorsalgie, mentionnons les suivantes.

L'infection

Assez rarement, il arrive que les gens qui souffrent de graves problèmes de dos souffrent à la fois d'une infection chronique dans les disques ou ailleurs.

La spondylarthrite ankylosante

Il s'agit d'une forme d'arthrite inflammatoire dont les effets se concentrent dans le dos. Les articulations des bras et des jambes sont parfois touchées et à l'occasion, d'autres tissus.

Elle se manifeste le plus souvent chez les jeunes hommes. Néanmoins, elle peut se produire chez les femmes, et ce, à tout âge. Les symptômes se manifestent d'abord dans les articulations entre le sacrum et le bassin (articulations sacro-iliaques) et peuvent se propager à la colonne vertébrale. À mesure que la maladie progresse, les courbatures apparaissent, le dos est très voûté et dans les cas graves, la colonne peut devenir complètement rigide.

Contrairement à la dorsalgie d'origine mécanique, la douleur et les courbatures s'intensifient au repos et s'atténuent avec l'exercice. Les personnes atteintes éprouvent des difficultés à s'endormir et s'éveillent au petit matin avec des douleurs et des courbatures. Plusieurs se lèvent la nuit pour se soulager en faisant un peu d'exercice. À mesure que l'état s'aggrave, les douleurs et les courbatures persistent au cours de la journée.

Votre médecin vous examinera et vous prescrira probablement des analyses sanguines et des rayons X pour confirmer le diagnostic.

Les troubles osseux

Le squelette est l'échafaudage qui supporte les tissus mous de l'organisme. Contrairement à une charpente de métal, l'os est un matériau vivant dont les constituants sont constamment régénérés. Différentes maladies peuvent affaiblir et déformer vos os et ainsi vous prédisposer aux fractures.

L'ostéoporose

Il s'agit d'une forme courante de maladie des os. Elle affecte parfois les hommes, mais le plus souvent les femmes ménopausées, lorsque les changements

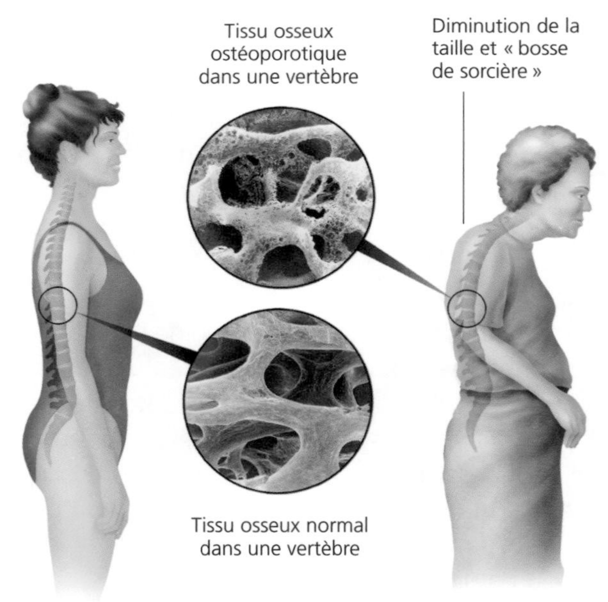

L'ostéoporose est une forme courante de maladie des os qui affecte surtout les femmes ménopausées. Les changements hormonaux entraînent un amincissement de la structure intérieure des os, ce qui les affaiblit et les prédispose aux fractures. Les vertèbres affaiblies peuvent s'écraser, ce qui entraîne une diminution de la taille et une cyphose dorsale.

hormonaux provoquent l'affaiblissement de la structure osseuse. Certaines personnes développent l'ostéoporose comme complication d'un traitement effectué avec certains stéroïdes ou à la suite de troubles hormonaux comme le syndrome de Cushing.

Une fois l'os affaibli, de minuscules fractures se produisent très facilement et les vertèbres s'écrasent. Pour cette raison, certaines femmes subissent des assauts répétés de dorsalgie intense et une bosse se forme progressivement. La diminution de la taille et la cyphose prononcée que l'on observe souvent chez les femmes âgées proviennent en général de l'ostéoporose.

L'ostéomalacie

On l'observe chez les gens qui souffrent d'une carence en calcium et en vitamine D, possiblement en raison d'un régime alimentaire pauvre en produits laitiers, de troubles digestifs entravant l'absorption calcique des intestins ou d'un manque d'exposition à la lumière du soleil.

Les os s'affaiblissent et sont plus sujets aux fractures et à la douleur.

La maladie de Paget

Elle entraîne une croissance brusque et très rapide des os et affecte les personnes âgées. Le nouvel os est anormal et mou, il se fracture facilement ou exerce une pression sur les nerfs et les ligaments, causant de la douleur.

Les tumeurs

La douleur est parfois provoquée par une tumeur qui se développe dans le dos ou qui se propage à partir d'un autre site. Bien que cette cause soit rare, on doit tout de même en vérifier la possibilité, d'où l'importance d'un examen médical adéquat.

La douleur rapportée

Vous ressentez une douleur dans votre dos alors qu'elle provient d'une autre partie de votre organisme.

La dorsalgie n'est pas toujours causée par des problèmes autour et à l'intérieur de la colonne. Elle peut provenir de troubles de l'abdomen ou du bassin. Les ulcères d'estomac, les problèmes gynécologiques et certains états peuvent provoquer une pression sur les nerfs et la douleur. Lorsqu'il y a un lien entre les intervalles de douleur et les règles, le médecin peut envisager un problème gynécologique. Parfois, le problème qui provient de l'abdomen ou du bassin est difficile à déceler.

POINTS CLÉS

- Un certain nombre d'états pathologiques peuvent entraîner une dorsalgie, notamment les troubles mécaniques.
- La dorsalgie peut être le symptôme d'une autre maladie, comme une inflammation, une infection, des troubles des os, une douleur rapportée, etc.
- Les changements associés au vieillissement peuvent causer des problèmes de dos chez les personnes âgées.
- Chez les femmes ménopausées, l'ostéoporose peut causer la dorsalgie et la cyphose.

Traiter la dorsalgie persistante

Première étape – obtenir un diagnostic

Vos antécédents médicaux

Pour votre médecin, le plus important est de savoir exactement de quelle façon la douleur est apparue et ce qui s'est produit depuis, de même que les autres aspects médicaux. Il procédera alors à un examen physique. Cela peut suffire.

Analyses sanguines

Comme nous l'avons vu, la plupart des dorsalgies ont une origine mécanique. Les résultats des analyses sanguines sont donc normaux.

Néanmoins, ces analyses sont utiles lorsqu'on soupçonne une origine inflammatoire ou autre, en particulier la spondylarthrite ankylosante (voir p. 63), qui est associée à l'antigène HLA-B27 des globules blancs. Si cet antigène est absent de vos analyses, il est peu probable que vous en soyez atteint. Néanmoins, la présence de l'antigène ne prouve pas que vous souffrez de spondylarthrite, car on trouve cet antigène chez environ 8 % des gens qui n'en souffrent pas.

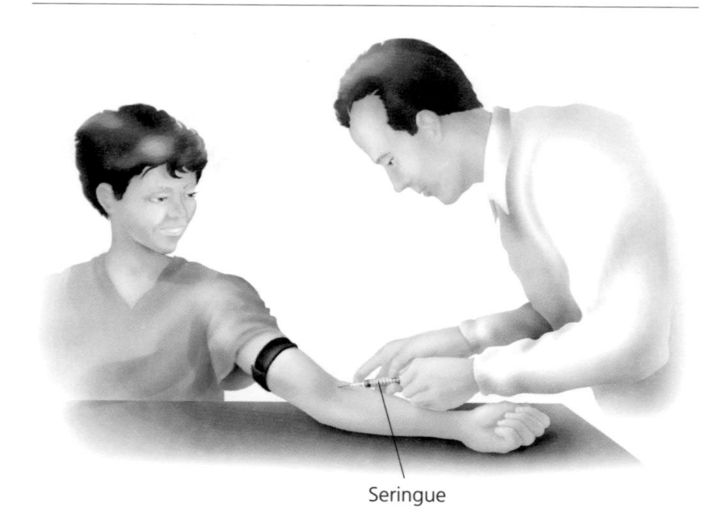

Prise de sang pour les analyses

Les radiographies

La plupart des radiographies de la colonne vertébrale sont inutiles, sauf pour ceux qui souffrent de graves maux de dos et qui ne répondent pas à un traitement simple et ceux qui souffrent de complications. Bien que l'exposition aux radiations soit minime, il est préférable d'éviter les rayons X.

La radiculographie

En examinant les radiographies de la colonne vertébrale, on étudie en fait les ombres des os. On n'y voit pas les tissus mous comme les nerfs et les disques. Dans une radiculographie (myélogramme), on injecte un marqueur opaque aux rayons X dans la colonne vertébrale. Lorsqu'un disque est éclaté, la colonne de marqueur apparaîtra en retrait et on pourra déterminer exactement l'emplacement de la lésion sur la radiographie.

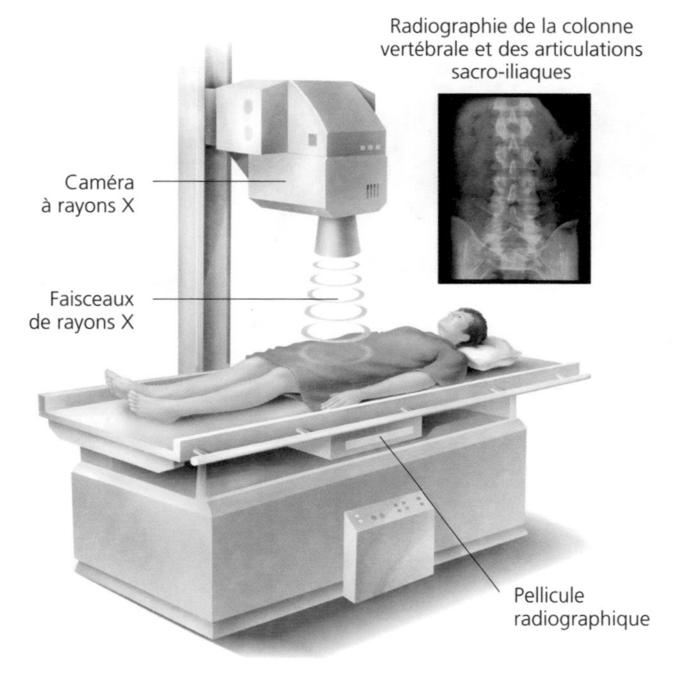

Les radiographies de la colonne vertébrale sont généralement réservées à ceux qui souffrent de graves maux de dos et de complications.

Les tomodensitogrammes

Ces tests permettent au médecin d'utiliser les rayons X pour obtenir une image plus claire des structures internes de la colonne vertébrale. En particulier, ils permettent d'examiner les contours intérieurs des structures osseuses, de même que certains détails des disques.

Les examens par IRM

L'imagerie par résonance magnétique (IRM) est la toute dernière technologie de balayage. Plutôt que des rayons X, on utilise des champs magnétiques intenses.

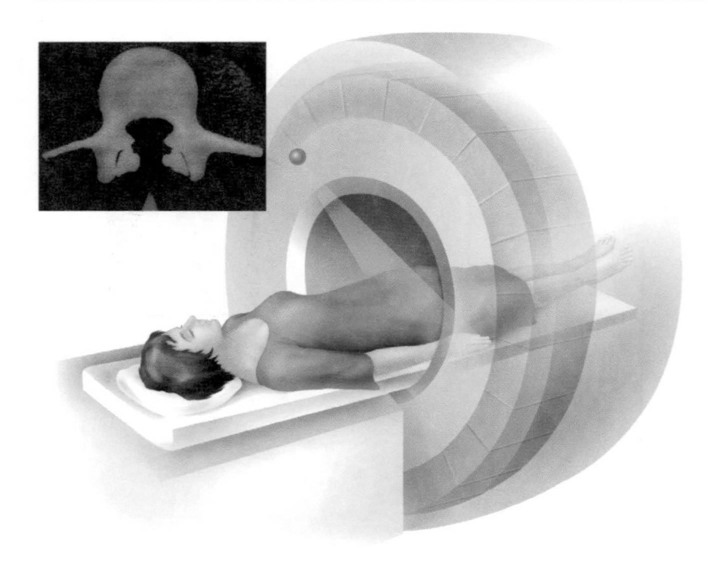

Le tomodensitogramme (TDM) est beaucoup plus sensible aux modifications dans la densité des tissus que les rayons X. Le support mobile, qui comprend un tube à rayons X et des détecteurs, tourne continuellement autour du patient, qui est déplacé à l'intérieur. Le tomodensitomètre montre une série de coupes transversales du corps, créant une « carte » de la région étudiée.

Cette technique est particulièrement efficace pour étudier les nerfs, les ligaments et les disques dans les structures osseuses. L'expérience peut être très difficile à tolérer pour ceux qui sont un tant soit peu claustrophobes. Pour cette raison, on prescrit souvent des calmants. Dans certains centres, on utilise un appareil d'IRM ouvert pour les patients en grande détresse.

Le tomodensitogramme et les examens par IRM sont maintenant largement utilisés. Néanmoins, les bénéfices que l'on peut en tirer ne sont pas toujours évidents. Tout comme pour les radiographies du dos, les modifications

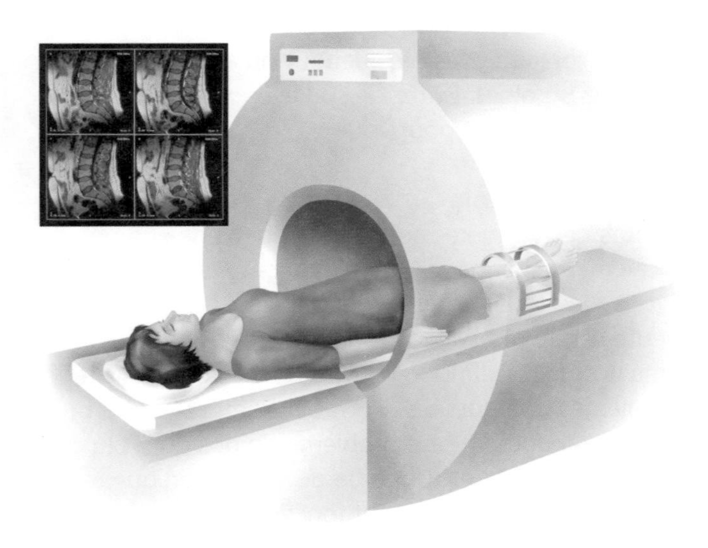

L'imagerie par résonance magnétique (IRM) permet de visualiser les tissus mous du corps (p. ex., poumons et cerveau). L'appareil d'IRM utilise des ondes magnétiques pour perturber les noyaux des atomes d'hydrogène dans les tissus du corps. Ceux-ci émettent alors des signaux qui sont mesurés dans un champ magnétique intense, formant une image que le médecin peut interpréter.

qu'ils révèlent présentent rarement une bonne corrélation avec les symptômes.

Le traitement de la dorsalgie sans médicaments

Le traitement de la dorsalgie chronique dépend de la cause; qu'elle soit mécanique ou autre.

Les soins de votre dos

L'activité physique est efficace pour contrer le mal de dos chronique. Essayez de demeurer actif et de faire de l'exercice, tout en étant prudent. Prenez garde de ne pas soumettre votre dos à un effort excessif et tenez-vous bien lorsque vous êtes debout ou assis, ou que vous levez un objet. Évitez de soulever des charges lourdes; ce n'est pas pour vous.

La physiothérapie

Au cours des dernières années, les points de vue ont radicalement changé à l'égard des traitements. Nous croyons maintenant que le rôle principal du physiothérapeute est de rétablir vos fonctions et vos mouvements normaux, afin que vous retrouviez une activité normale dès que possible. Vous devez être référé à un physiothérapeute si votre problème de dos dure plus de quelques semaines et risque de devenir chronique.

Il vous apprendra comment fonctionne votre dos, les problèmes qui peuvent survenir, comment protéger votre dos des stress excessifs et il vous apprendra des exercices qui visent à rétablir votre mobilité afin de reprendre une vie normale.

Le programme d'exercices devra correspondre à vos besoins particuliers, tout en incluant des exercices pour renforcer votre dos et vos muscles abdominaux, de même que des bascules du bassin.

Quelquefois, le physiothérapeute appliquera différentes formes de chaleur comme la lampe à infrarouge, la diathermie à ondes courtes ou d'autres traitements comme les blocs réfrigérants ou les vaporisateurs refroidissants, les ultrasons ou les massages. Il ne s'agit pas d'une solution à long terme, mais ces traitements sont très apaisants et relaxants. Ils sont souvent utilisés comme préparation au traitement suivant, comme les exercices qui peuvent être très douloureux.

On utilise beaucoup de traitements anciens, comme la traction. Vous êtes couché sur une table d'élongation, avec un harnais autour du bas du thorax et un autre autour du bassin, puis on écarte doucement les deux parties de votre corps l'une de l'autre. Le but est d'étirer les articulations lésées et de soulager la pression sur les nerfs lésés. Le soulagement est de courte durée et la valeur à long terme de ce traitement est douteuse. On l'utilise moins fréquemment aujourd'hui. Inutile alors de vous procurer ces accessoires coûteux sur le marché pour la traction à la maison.

Les exercices

Il existe de nombreux exercices pour les gens qui souffrent de dorsalgie chronique, selon la nature de votre problème particulier. Certains exercices peuvent vous aider, alors que d'autres peuvent aggraver le problème. Vous devez en tenir compte en planifiant votre programme d'exercices.

Discutez-en d'abord avec votre physiothérapeute. Les différents exercices, dont ceux que nous avons déjà mentionnés, visent à renforcer les muscles dorsaux et abdominaux (exercices isométriques) ou à améliorer les mouvements du dos. Il importe d'éviter tout exercice qui aggrave subitement la douleur. Mieux vaut entreprendre quelques exercices réguliers et en augmenter progressivement l'intensité tous les jours.

Les personnes qui souffrent de problèmes chroniques graves, surtout celles qui sont devenues handicapées, peuvent entreprendre les exercices dans une piscine chauffée à cet effet; c'est l'hydrothérapie. Le programme d'exercices est exécuté sous la supervision d'un physiothérapeute. Cette méthode de rétablissement est très plaisante et efficace.

Les exercices qui peuvent soulager la dorsalgie chronique

Un programme d'exercices simples et prudents doit être entrepris et augmenté progressivement. Pratiquez d'abord les exercices qui suivent une ou deux fois par jour, puis augmentez jusqu'à six fois par jour si votre dos vous le permet.

De nombreuses personnes requièrent d'autres types d'exercices, mais ceux-ci doivent être exécutés seulement sous la supervision d'un physiothérapeute, car certains exercices peuvent aggraver la situation. Tout dépend du problème dont vous souffrez..

1 Allongez-vous sur le dos. Gardez les jambes droites et levez chacun des talons, un à la fois, à peine au-dessus du plancher. Répétez l'exercice.

2 Allongez-vous sur le dos, avec un oreiller sous la tête. Repliez vos bras. Levez la tête et les épaules à peine au-dessus du plancher, puis revenez à votre position et détendez-vous. Répétez l'exercice. Si un seul de ces exercices intensifie votre douleur, ils ne sont pas pour vous.

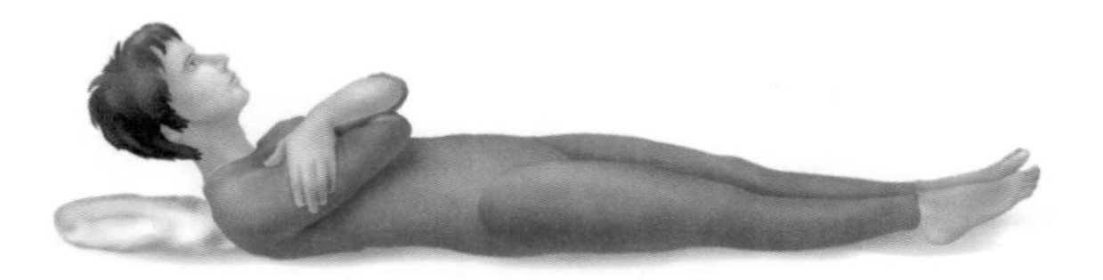

Si un seul de ces exercices intensifie votre douleur, ils ne sont pas pour vous.

3 Allongez-vous sur le dos. Contractez les muscles de votre abdomen, poussez le bas de votre dos contre le sol, puis détendez-vous. Répétez l'exercice.

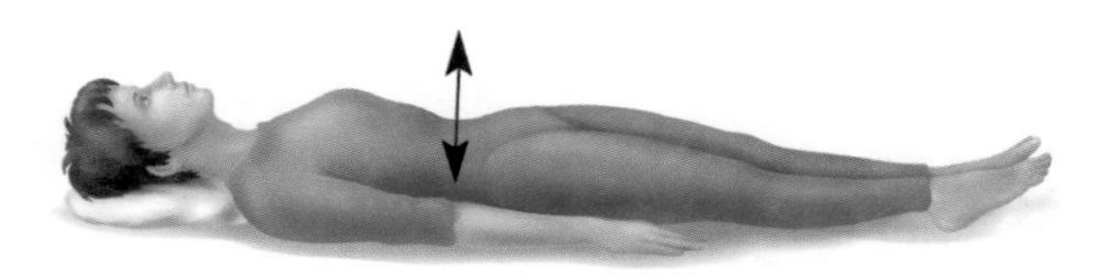

4 Allongez-vous sur le dos. Allongez le bras sur un côté de la cuisse jusqu'au genou. Redressez-vous puis refaites le même mouvement sur le côté de l'autre cuisse. Répétez l'exercice.

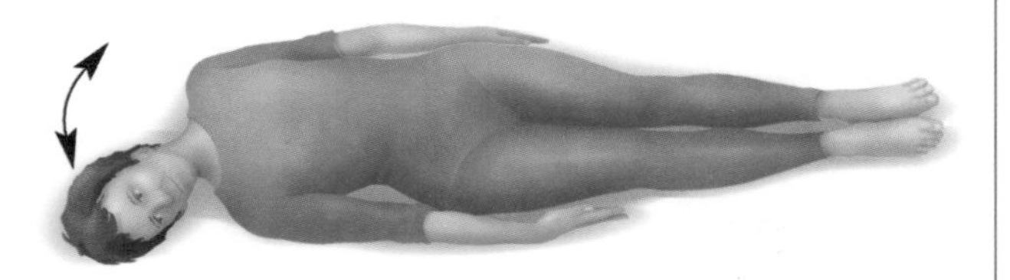

Vue en plongée

Si un seul de ces exercices intensifie votre douleur, ils ne sont pas pour vous.

5 Allongez-vous sur le dos. Pliez vos genoux de façon que vos pieds soient à plat sur le sol. Décollez les fesses en contractant les muscles de l'abdomen, tout en gardant le dos droit. Répétez l'exercice.

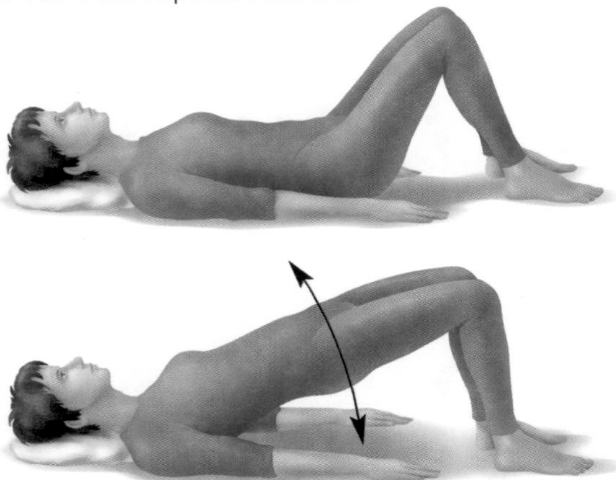

6 Allongez-vous sur le ventre. Soulevez le haut du corps avec vos mains, tout en gardant le dos droit. Répétez l'exercice.

Si un seul de ces exercices intensifie votre douleur, ils ne sont pas pour vous.

7 Mettez-vous à quatre pattes. Arrondissez votre dos, puis laissez-le se creuser. Répétez l'exercice.

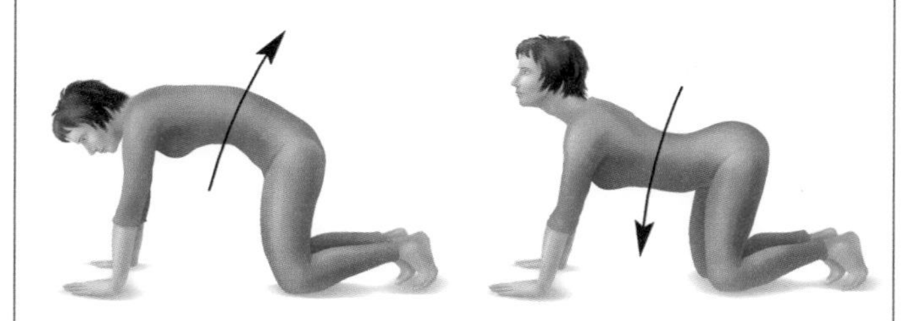

8 Placez-vous debout contre un mur. Contractez les muscles du ventre de façon que votre dos soit à plat contre le mur, puis laissez-le reprendre sa courbe normale.

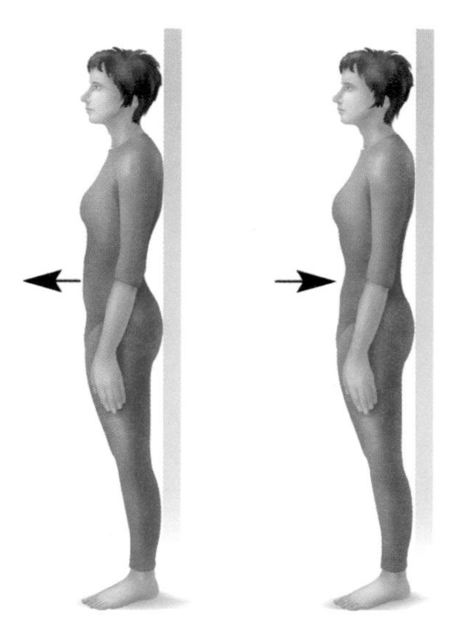

Si un seul de ces exercices intensifie votre douleur, ils ne sont pas pour vous.

La natation est l'une des formes d'exercice les plus sécuritaires pour votre dos. Nagez sur le dos ou le ventre, à votre convenance.

Le sport

Les sportifs doivent demeurer actifs et reprendre leur sport dès que possible après un intervalle de douleur intense. Les sports les plus sécuritaires sont la marche, la natation et le vélo. Les sports de contact comme le rugby sont dangereux, car les mouvements du dos brusques et imprévus, font appel à la force et peuvent réduire à néant plusieurs semaines d'amélioration progressive.

La mobilisation et la manipulation

Si la douleur provient du déplacement mécanique des articulations ou des disques, il est possible de les replacer en manipulant la colonne vertébrale. C'est la théorie à la base des différentes techniques de mobilisation et de manipulation. Les physiothérapeutes, les ostéopathes, les chiropraticiens, les médecins et les chirurgiens orthopédistes ont recours à un large éventail de techniques.

Certains appliquent les forces directement sur les vertèbres alors que d'autres utilisent les épaules et le bassin comme leviers. Les problèmes que les techniques de manipulation peuvent soulager, à quel moment les utiliser et leur utilité relative pour les différents traitements prodigués par les praticiens ne font pas l'objet d'un commun accord. La manipulation peut hâter votre guérison d'un épisode aigu de dorsalgie, mais son efficacité est incertaine dans le traitement de la dorsalgie chronique.

En général, ces techniques paraissent sans danger, bien que quelques personnes rapportent que leurs problèmes s'en trouvent aggravés. Il existe un risque minime de lésion nerveuse lorsque la manipulation est pratiquée sous anesthésie.

Les médicaments dans le traitement de la dorsalgie

Le but principal des médicaments est de soulager la douleur. Les deux principaux types de médicaments prescrits sont les analgésiques, qui ne soulagent que la douleur, et les anti-inflammatoires, qui contrôlent aussi l'inflammation dans la zone de la lésion. La nature du problème indique en général le type de médicament qui sera le plus efficace.

Les analgésiques

Le paracétamol est le plus couramment recommandé. Vous pouvez prendre jusqu'à 6 ou 8 comprimés de 500 mg par jour, un dose sécuritaire si vous ne dépassez pas la dose. Vous pouvez vous le procurer en vente libre, combiné ou non avec d'autres médicaments comme la codéine.

Il existe plusieurs analgésiques plus puissants comme le dextropropoxyphène et la dihydrocodéine, qui sont souvent combinés au paracétamol, et que vous pouvez obtenir avec une ordonnance du médecin.

Les anti-inflammatoires

Ils sont particulièrement utiles si vous souffrez beaucoup de courbatures au lit et lorsque vous vous éveillez le matin. Leur rôle principal est de réduire l'inflammation, mais ils soulagent aussi la douleur. Le premier anti-inflammatoire, l'acide acétylsalicylique (aspirine), peut causer de l'indigestion et des dérangements gastro-intestinaux, et de fortes doses peuvent causer de l'acouphène et nuire à votre ouïe. L'ibuprofène est en vente libre dans les pharmacies et semble avoir beaucoup moins d'effets secondaires.

D'autres anti-inflammatoires sont disponibles sur ordonnance, comme le naproxène, le diclofénac, le piroxicam, le kétoprofène et de nombreux autres, généralement sous forme de comprimés. Beaucoup de recherches ont été effectuées en vue de produire de nouvelles versions, à prendre une ou deux fois par jour plutôt que toutes les quelques heures, un avantage certain !

Tous les anti-inflammatoires peuvent causer des dérangements gastro-intestinaux et il se peut que vous deviez prendre aussi un antiulcéreux dans un même comprimé ou gélule. Nous savons maintenant que les effets anti-inflammatoires de ces comprimés sont causés par l'inhibition des enzymes COX-2 (cyclo-oxygénase-2) et que l'indigestion est causée par l'inhibition des enzymes COX-1.

Les coxibs

Des efforts ont été entrepris pour mettre au point de nouveaux anti-inflammatoires qui ne causent ni indigestion ni troubles d'estomac. Ce sont les coxibs. Ils visent les COX-2, les enzymes qui causent la douleur, sans inhiber la COX-1, l'enzyme qui protège l'estomac. Les coxibs semblent efficaces. Malheureusement, le premier d'entre eux, le rofecoxib (Vioxx), a un grave effet indésirable : il augmente les risques de crise cardiaque et d'AVC. Par conséquent, tout comme d'autres coxibs, on l'a retiré du marché.

Pour l'instant, quoique toujours à l'étude, le celecoxib (Celebrex) semble plus sûr et il est toujours disponible.

Les coxibs présentent un risque de réaction cutanée, qui peut être grave.

En général, on déconseille aux patients qui souffrent de cardiopathie ischémique, d'angine, de crise cardiaque, de maladie vasculaire cérébrale comme un AVC ou d'une mauvaise circulation dans les jambes, de prendre du celecoxib.

De même, les personnes qui présentent un risque élevé de problèmes cardiovasculaires comme l'hypertension, qui ont un taux élevé de cholestérol, qui souffrent de diabète et celles qui fument doivent se montrer prudentes.

Avant d'utiliser ces médicaments, on doit procéder à une évaluation approfondie des indications médicales et des facteurs de risque, et opter pour la plus petite dose efficace, pendant une période la plus brève possible.

Généralement, les analgésiques sont préférables aux anti-inflammatoires, mais ils ne suffisent pas à soulager la douleur chez certains, qui ont recours aux anti-inflammatoires. Consultez d'abord votre médecin. Il pourrait vous prescrire un antiulcéreux, à prendre séparément ou dans la même gélule, afin d'éviter les dérangements gastro-intestinaux.

Les myorelaxants

Si vous souffrez de spasmes importants des muscles dorsaux, ce qui est très douloureux, les comprimés de myorelaxants sont efficaces.

Les antiépileptiques

Les douleurs névralgiques sont de brusques sensations de choc électrique qui partent du dos et descendent le long de la jambe, souvent accompagnées de fourmillements douloureux et d'engourdissements. Ces symptômes semblent provenir d'une trop grande sensibilité des nerfs lésés. Les neurones du cerveau des gens atteints d'épilepsie sont anormalement sensibles et leur activité incontrôlée cause des crises épileptiques (convulsions). Les médicaments qui contrôlent ce problème peuvent soulager efficacement la douleur névralgique.

Les antidépresseurs tricycliques

Les gens qui souffrent de problèmes de dos chroniques développent une douleur généralisée et leur peau devient souvent hypersensible et douloureuse à la pression, même légère. À l'origine, on soupçonne des modifications biochimiques du traitement de la douleur dans le système nerveux central, que les analgésiques ne peuvent soulager. Il est possible que ces modifications se retrouvent aussi dans le cas des personnes qui souffrent d'une dépression clinique, et les médicaments qu'elles prennent, comme l'amitriptyline, peuvent être efficaces pour traiter ce type de douleur.

Les frictions, les crèmes et les gels

Vous pouvez frotter le dos avec un gel ou une crème analgésique. Les bienfaits proviennent à la fois des médicaments et du massage.

Il existe trois types de frictions qui agissent différemment. Essayez-les tous avant de vous décourager.

Les salicylates

Les simples frictions comme Movelat et Transvasin contiennent une petite quantité de salicylates et d'autres médicaments. Elles augmentent l'apport sanguin, procurent une sensation de chaleur et un soulagement. On peut les appliquer deux ou trois fois par jour s'ils sont efficaces.

Les anti-inflammatoires

Ces médicaments pris oralement sont aussi offerts en crème ou en gel. Ils pénètrent dans la peau et soulagent la douleur localement. Seule une petite quantité entre dans la circulation générale. Vous pouvez vous procurer tous les types de crème en vente libre, comme l'ibuprofène, le diclofénac, le kétoprofène, vendus sous différents noms commerciaux comme Oruvail Cream, Voltarol, Emulget et Traxam Cream.

La capsaïcine

Depuis peu, on s'intéresse en particulier à cet extrait du poivre de Cayenne. Son action libère la substance nociceptive des terminaisons nerveuses. Son application cause d'abord une sensation de brûlure sur la peau qui s'estompe lorsqu'on l'utilise deux ou trois fois par jour, après quelques jours. Cette sensation est suivie d'un soulagement lorsque les réserves de substance nociceptive sont complètement épuisées.

Certains patients qui l'utilisent de façon intermittente ne ressentent que la brûlure, sans aucun soulagement. Il importe donc de l'utiliser deux ou trois fois par jour pendant une journée et de persister jusqu'à ce que vous en ressentiez les bienfaits. Parmi ces crèmes, mentionnons Axsain et Zacin.

Les injections

Elles peuvent être utiles dans certains cas et sont offertes sous différentes formes, selon la nature du problème.

Le traitement des points douloureux

Certaines personnes ont des problèmes de dos qui s'accompagnent de deux ou trois points douloureux, parfois dans les tissus superficiels, dans les ligaments qui relient les vertèbres, dans les joints sacro-iliaque ou autres. Votre médecin peut indentifier ces zones douloureuses en palpant votre dos pendant que vous êtes allongé à plat dans une position confortable. On peut traiter ces points par l'injection d'une petite quantité d'anesthésique local et d'un puissant stéroïde comme la cortisone. Les stéroïdes ont une action anti-inflammatoire de longue durée. Àprès l'injection, vous serez soulagé de deux à trois heures grâce à l'anesthésique, mais la douleur peut réapparaître dans les 24 heures. Néanmoins, après cette période, certaines personnes constatent une nette amélioration. La durée du soulagement varie d'une personne à l'autre, mais pour beaucoup, elle est prolongée. Utilisée de cette façon, la cortisone ne cause pas les effets indésirables qui peuvent se manifester lorsqu'on la prend oralement.

Les injections dans les facettes articulaires

Quelquefois, le problème survient dans les facettes articulaires à l'arrière de la colonne vertébrale. On peut le traiter par une injection avec une aiguille fine, habituellement guidée par rayons X, de façon à bien positionner l'aiguille dans l'articulation.

Les injections épidurales

On la donne dans la colonne, dans les membranes entourant la moelle épinière et les racines nerveuses. Un anesthésique local avec une petite quantité de médicaments comme la cortisone est injecté. Le médecin peut vous l'offrir si votre sciatique n'a pas complètement disparu après un accès intense.

Les autres traitements

L'acuponcture

La dorsalgie peut être très difficile à contrôler. On soulage parfois les symptômes en bloquant le passage des impulsions nerveuses de la colonne vertébrale au cerveau.

L'acuponcture a d'abord été développée en Chine il y a 2 000 à 3 000 ans. Son action était attribuée à une modification de l'équilibre entre deux forces vitales opposées, le yin et le yang. De nos jours, la médecine occidentale a souvent recours à l'acuponcture. Nous

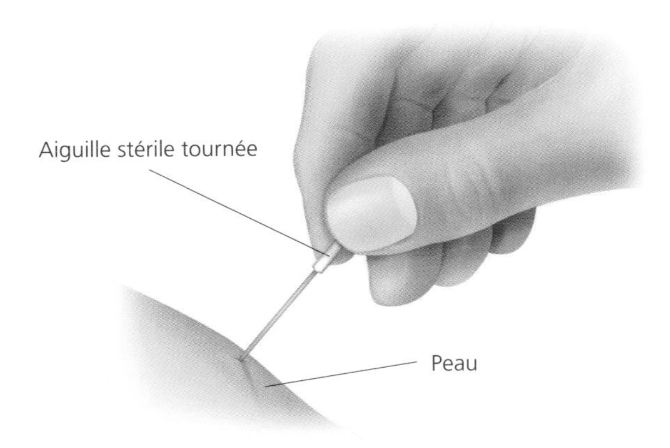

L'acuponcture est une méthode de soulagement de la douleur par l'insertion d'aiguilles fines et stériles en des points précis du corps. On tourne alors les aiguilles pour produire la stimulation. Cette méthode n'est pas efficace pour tous.

savons maintenant qu'elle stimule la libération de substances chimiques naturelles dans le cerveau et la moelle épinière, les endorphines et les enképhalines, qui bloquent le passage des sensations nociceptives.

On insère des aiguilles stériles dans la peau, puis on les tourne pour produire une stimulation.Certains acuponcteurs utilisent les anciens sites chinois, plus par coutume que par croyance.

L'acuponcture n'est pas efficace pour tous. Certaines personnes réagissent bien, d'autres n'en tirent qu'un bienfait à court terme et doivent recevoir plusieurs traitements, alors qu'elle ne donne aucun résultat pour certains.

La neurostimulation transcutanée

L'insertion d'aiguilles et la stimulation sont des techniques hautement spécialisées qui ne se pratiquent que dans des cliniques à cet effet. Par contre, vous pouvez vous donner un traitement de neurostimulation vous-même, à la maison. Vous fixez simplement les coussins électriques, enduits d'un gel conducteur spécial, sur votre dos, puis vous les reliez à une pile et au stimulateur que vous portez à votre ceinture.

Lorsque vous mettez le stimulateur en marche, de minuscules impulsions électriques stimulent votre peau. Vous pouvez en régler la force, la fréquence et la durée, selon vos besoins. La stimulation électrique est semblable à une légère sensation de piqûre dans la peau. Tout comme l'acuponcture, elle stimule les nerfs et libère les substances du cerveau et de la moelle épinière qui bloquent la sensation nociceptive.

Cette technique est utile pour ceux qui souffrent de dorsalgie chronique, car ils peuvent y avoir recours en tout temps pour soulager la douleur. Bien qu'elle ne soit

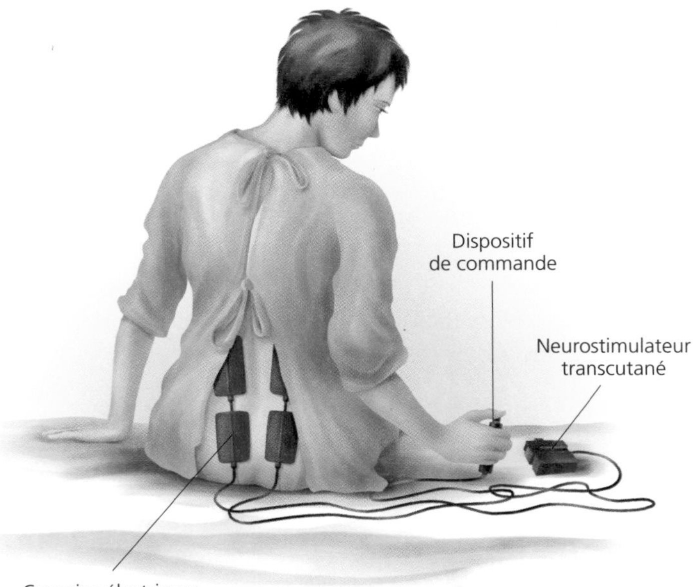

Dans la neurostimulation transcutanée, on fixe des coussins électriques sur le dos. De minuscules impulsions électriques stimulent votre peau, de façon semblable à l'acuponcture.

pas efficace pour tous, elle procure un grand soulagement pour certaines personnes.

Les corsets orthopédiques

Ce soutien lombaire comprend une ceinture de corps ferme qui s'étire de la cage thoracique au bassin, et des baleines à l'arrière qui peuvent être des lamelles d'acier plates moulées selon la forme de votre dos. Cet appareil limite les mouvements de votre dos et augmente la pression dans votre abdomen, soulageant ainsi la douleur. Malheureusement, porter un corset pendant une longue période peut entraîner des courbatures permanentes et à long terme, de nombreux corsets nuisant autant qu'ils soulagent. Nous croyons maintenant que pour la plupart des gens, le but doit être de rétablir les mouvements du dos dès que possible. Pour cette raison, les corsets sont rarement utilisés à l'heure actuelle.

L'intervention chirurgicale

On évalue qu'environ une seule intervention pour 2 000 accès de dorsalgie est justifiée. Vous ne devez l'envisager que dans les cas suivants :

- vos symptômes ne répondent pas aux autres traitements;
- votre douleur est intense et persistante;
- votre problème a des chances de diminuer après une intervention.

Cela signifie qu'une intervention chirurgicale n'est pas le premier remède à considérer dès qu'un accès de dorsalgie se manifeste. On doit d'abord tenter d'autres traitements. La plupart des gens s'en remettent sans avoir recours à une intervention.

Si vous devez subir une intervention, votre chirurgien prendra des dispositions pour que des examens plus approfondis soient effectués au préalable.

Seuls certains types de problèmes répondent bien à une intervention, en particulier les douleurs sciatiques intenses dans la jambe. Environ 80 à 90 % des patients sont très satisfaits des résultats. Par ailleurs, le taux de succès est moins bon pour ceux qui souffrent principalement de douleur au dos.

Vous devez envisager une intervention chirurgicale uniquement si vos symptômes ne répondent pas aux autres traitements, si votre douleur est intense et persistante ou si votre problème a des chances de diminuer par la suite.

Quel type d'intervention ?

L'ablation d'un disque

Il existe plusieurs types d'interventions chirurgicales. La plus courante est l'ablation d'un disque dans les cas d'une hernie discale – il s'agit habituellement du disque situé entre les quatrième et cinquième vertèbres lombaires ou entre la cinquième vertèbre lombaire et le sacrum. En vue de prévenir toute récidive, on enlève le disque en entier plutôt que la partie atteinte seulement. De nouvelles techniques comme la microdiscectomie permettent de pratiquer l'intervention avec un télescope, en passant par un petit tube. Ce procédé réduit considérablement le traumatisme de l'intervention et le patient se remet plus rapidement. Certains chirurgiens injectent des enzymes dans le disque ou le coagulent électriquement, toujours dans le but de réduire les traumatismes.

L'ablation de l'os

Dans certains cas, le principal problème est la pression exercée sur les racines nerveuses par un os de la colonne vertébrale. Le chirurgien enlèvera une partie de l'os afin de créer plus d'espace.

La spondylodèse

Parfois, il y a trop de mouvements entre les os de la colonne vertébrale. Le chirurgien pourra alors souder des vertèbres. C'est la spondylodèse.

Les nouvelles techniques

Les recherches se poursuivent en matière d'interventions chirurgicales à l'intérieur du disque, y compris les traitements électriques et le remplacement artificiel des disques. On n'est toutefois pas certain des bienfaits de ces techniques.

La convalescence

Vous commencerez probablement à vous lever et à marcher quelques jours après l'intervention. Vous devrez porter un lombostat pendant quelques semaines, mais vous pourrez reprendre le travail léger dans un mois ou deux. Le travail manuel lourd ne peut être envisagé qu'après plusieurs mois. Informez-vous auprès de votre chirurgien avant d'entreprendre des activités qui pourraient surcharger votre colonne.

Les programmes de réadaptation intensive et de gestion de la douleur

Un petit nombre de personnes qui souffrent de dorsalgie chronique peuvent développer de très graves symptômes et devenir très handicapées, et ce, pour un certain nombre de raisons. En plus des lésions mécaniques dans la région de la colonne vertébrale, des cicatrices peuvent apparaître autour des racines nerveuses. D'autres modifications peuvent se produire à l'intérieur du système nerveux central, et le problème est amplifié par la dépression, l'anxiété et la fibromyalgie.

Malheureusement, ce type de douleur est très difficile à traiter. Les gens qui en souffrent doivent faire l'objet d'une évaluation en profondeur et bienveillante, comportant non seulement une analyse du problème physique, mais aussi leurs réactions à cette analyse.

La prochaine étape consiste à planifier un programme de réadaptation intensif personnalisé qui vise non seulement à rétablir les fonctions physiques, mais aussi à aider la personne à composer avec le problème et à mener une vie plus normale.

Dans le cadre de ce programme, il est important de comprendre la nature de la douleur et qu'elle n'est pas nécessairement nocive, de faire appel au counseling, d'apprendre à respecter votre rythme de façon à ne pas trop en faire lorsque vous vous sentez mieux. La réadaptation professionnelle vous permet de retourner au travail.

Ce type de traitement qui vise à gérer la douleur peut être très efficace pour ceux qui sont les plus gravement handicapés par la dorsalgie. Malheureusement, les programmes de gestion de la douleur sont difficiles d'accès. On espère toutefois que la situation s'améliorera avant longtemps.

POINTS CLÉS

- Les personnes qui souffrent de dorsalgie doivent comprendre les mécanismes du dos, les problèmes qui peuvent survenir et le bien-fondé des différents traitements.
- L'exercice est bénéfique pour le dos, mais on doit éviter les mouvements brusques et violents.
- Le choix des médicaments est lié au problème clinique. La plupart des gens peuvent soulager leur douleur en prenant un analgésique comme le paracétamol ou un anti-inflammatoire comme l'ibuprofène.
- L'intervention chirurgicale est rarement indiquée. En général, elle donne de bons résultats surtout pour la douleur sciatique dans la jambe, plutôt que la douleur au dos.
- Les programmes de réadaptation intensifs et de gestion de la douleur sont efficaces pour les gens qui souffrent de dorsalgie chronique intense.
- Les antécédents médicaux et l'examen clinique sont les éléments les plus importants de l'évaluation, avec les examens par imagerie dans certains cas.

La dorsalgie chez les jeunes

La dorsalgie précoce peut perdurer tout au long de la vie

On croit en général que les problèmes de dos ne concernent que les personnes d'âge moyen et les personnes âgées, mais ces problèmes sont plus répandus qu'on pourrait le croire chez les enfants et les adolescents. Il s'agit habituellement d'un malaise bénin qui ne nuit pas aux activités quotidiennes, mais chez certains enfants, le problème perturbe le travail scolaire, les activités sportives et les loisirs.

Environ un quart des enfants auront vu leur médecin ou auront manqué l'école pour des raisons de maux de dos. Lorsque ce problème se manifeste aussi tôt, il perdure fréquemment tout au long de la vie.

Dans la plupart des cas, les investigations montrent de légers signes d'usure, mais pour quelques enfants, les problèmes sont beaucoup plus graves, comme la hernie discale, la spondylarthrite ankylosante (forme d'arthrite inflammatoire, voir p. 63) ou un autre problème que l'on retrouve chez les adultes.

L'importance de la posture et de l'exercice

La mauvaise posture et la mauvaise forme physique sont des facteurs importants, mais chez de nombreux jeunes, les facteurs émotionnels et le stress psychologique jouent un rôle important. Il y a souvent des antécédents familiaux, mais il est difficile de déterminer si les problèmes de dos résultent d'une prédisposition héréditaire, de facteurs physiques de la vie familiale ou de réactions émotionnelles.

Les changements dans la vie scolaire semblent contribuer au problème. Les enfants sont plus grands qu'il y a un siècle et pourtant, le mobilier scolaire est pratiquement le même. Les heures passées à s'affaler sur un bureau aggravent les problèmes de dos.

Il est important que les enfants ne passent pas trop de temps devant leur bureau et qu'ils se lèvent, marchent et fassent souvent des exercices, bien que ce ne soit pas le cas en général.

Comme les enfants sont de tailles différentes, la hauteur du bureau et de la chaise devrait être réglable. Avec un dossier idéal, l'enfant garde le dos droit et la courbe normale de son dos est préservée. Le siège doit être légèrement incliné vers l'avant en vue de permettre une légère courbe de la colonne lombaire et permettre d'incliner le bas du corps légèrement vers l'avant. Le bureau doit être légèrement en pente pour faciliter l'écriture tout en maintenant le dos droit. Une mauvaise posture assise aggrave les problèmes de dos.

Les mêmes principes s'appliquent au poste de travail. Le haut de l'écran doit être au niveau de l'œil lorsque l'enfant est assis le dos droit. La chaise doit soutenir le bas du dos et sa hauteur doit être réglable.

Autre changement, les enfants n'utilisent pas toujours le même bureau, car ils changent fréquemment

Les porte-documents lourds créent une tension sur la colonne vertébrale.

Les sacs à bandoulière peuvent favoriser une mauvaise posture.

Les sacs à dos bien conçus répartissent la charge.

Les problèmes de dos sont beaucoup plus courants qu'on peut le croire chez les enfants. Ils transportent souvent des sacs lourds dans une main ou sur une épaule, ce qui peut causer un stress important sur la colonne vertébrale.

de classe. Ils n'ont pas leur propre bureau et doivent donc transporter leurs livres. Les porte-documents peuvent être très lourds, créer une tension sur la colonne vertébrale et aggraver les symptômes du dos. Un sac à dos bien ajusté peut être préférable pour transporter les livres lourds.

Nous savons tous que l'exercice et les sports sont importants et en général, on reconnaît que les enfants devraient consacrer au moins deux heures par semaine à l'éducation physique, de préférence un peu tous les jours, mais ce n'est pas le cas pour beaucoup. Le peu d'activité physique est souvent en corrélation avec le développement des problèmes de dos.

À l'opposé, les enfants qui participent à des sports extrêmes comme les sports de contact, la gymnastique ou la danse à l'excès risquent davantage de se blesser au dos. Il est souvent difficile de parvenir à un équilibre dans ce domaine.

POINTS CLÉS

- La dorsalgie est courante chez les jeunes.
- Elle se développe fréquemment à cause d'une mauvaise posture et d'un manque d'activité adéquate.
- Les bureaux et les chaises bien conçus minimiseront les problèmes de dos.
- Évitez de transporter des sacs de livres lourds pendant de longues périodes. Si cela est nécessaire, le sac à dos bien ajusté est préférable aux porte-documents.
- Faites de l'exercice régulièrement.

Index

Vos pages

Nous avons inclus les pages ci-après en vue de vous aider à gérer votre maladie et son traitement.

Avant de fixer un rendez-vous avec votre médecin de famille, il serait utile de dresser une courte liste des questions que vous voulez poser et des choses que vous ne comprenez pas afin de ne rien oublier.

Certaines des sections peuvent ne pas s'appliquer à votre cas.

Soins de santé : personnes-ressources

Nom :

Titre :

Travail :

Tél. :

Nom :

Titre :

Travail :

Tél. :

Nom :

Titre :

Travail :

Tél. :

Nom :

Titre :

Travail :

Tél. :

Antécédents importants – maladies/opérations/recherches/traitements

Événement	Mois	Année	Âge (alors)

Rendez-vous pour soins de santé

Nom :

Endroit :

Date :

Heure :

Tél. :

Nom :

Endroit :

Date :

Heure :

Tél. :

Nom :

Endroit :

Date :

Heure :

Tél. :

Nom :

Endroit :

Date :

Heure :

Tél. :

Rendez-vous pour soins de santé

Nom :

Endroit :

Date :

Heure :

Tél. :

Nom :

Endroit :

Date :

Heure :

Tél. :

Nom :

Endroit :

Date :

Heure :

Tél. :

Nom :

Endroit :

Date :

Heure :

Tél. :

Médicament(s) actuellement prescrit(s) par votre médecin

Nom du médicament :

Raison :

Dose et fréquence :

Début de l'ordonnance :

Fin de l'ordonnance :

Nom du médicament :

Raison :

Dose et fréquence :

Début de l'ordonnance :

Fin de l'ordonnance :

Nom du médicament :

Raison :

Dose et fréquence :

Début de l'ordonnance :

Fin de l'ordonnance :

Nom du médicament :

Raison :

Dose et fréquence :

Début de l'ordonnance :

Fin de l'ordonnance :

Autres médicaments/suppléments que vous prenez sans une ordonnance de votre médecin

Nom du médicament/traitement :

Raison :

Dose et fréquence :

Début de la prise :

Fin de la prise :

Nom du médicament/traitement :

Raison :

Dose et fréquence :

Début de la prise :

Fin de la prise :

Nom du médicament/traitement :

Raison :

Dose et fréquence :

Début de la prise :

Fin de la prise :

Nom du médicament/traitement :

Raison :

Dose et fréquence :

Début de la prise :

Fin de la prise :

Questions à poser lors des prochains rendez-vous

(Note : N'oubliez pas que le temps que peut vous consacrer votre médecin est limité. Il est donc préférable d'éviter les longues listes de questions.)

Questions à poser lors des prochains rendez-vous

(Note : N'oubliez pas que le temps que peut vous consacrer votre médecin est limité. Il est donc préférable d'éviter les longues listes de questions.)

Notes

Notes

Notes

Notes

Centre universitaire
de santé McGill

Centre de ressources McConnell
McConnell Resource Centre

Local B RC.0078, Site Glen
1001 Boul. Décarie, Montréal QC H4A 3J1

Room B RC.0078, Glen Site
1001 Décarie Blvd, Montreal QC H4A 3J1

514-934-1934, #22054
crp-prc@muhc.mcgill.ca